Chère lectrice,

Pour fêter le retour des beaux jours, la collection Horizon vous propose ce mois-ci des histoires tendres et romantiques à souhait. Goûtez-les en même temps que les premiers rayons du soleil !

Dans *Un amour retrouvé* (n° 2005), le cinquième volume de votre série *Six Cœurs à conquérir*, vous verrez comment Nate Leeman retrouve avec consternation Kathryn Sanderson, sa passion de jeunesse, pour mieux… en retomber amoureux ! Dans *Un formidable papa* (n° 2006), c'est Troy Cramer qui retrouve une vieille connaissance : la belle Sadie Evans est toujours célibataire et attend le prince charmant… L'amour frappe souvent quand on s'y attend le moins, c'est ce qu'expérimente Samantha dans *Pour l'amour d'un bébé* (n° 2007) en tombant amoureuse du père de son neveu orphelin… Dans *Un mariage arrangé* (n° 2008), Brad et Rachel comprennent pour leur part qu'il est parfois bon d'allier les affaires d'argent… et les affaires de cœur ! Enfin, dans *Le candidat idéal* (n° 2009), vous comprendrez grâce à l'histoire de Geneva et Wade que le coup de foudre existe !

Bonne lecture,

La responsable de collection

Le candidat idéal

CAROLYN GREENE

Le candidat idéal

COLLECTION HORIZON

*éditions*Harlequin

Cet ouvrage a été publié en langue anglaise
sous le titre :
AN ELIGIBLE BACHELOR

Traduction française de
FLORENCE BERTRAND

HARLEQUIN®

est une marque déposée du Groupe Harlequin
et Horizon® est une marque déposée d'Harlequin S.A.

Originally published by SILHOUETTE BOOKS,
division of Harlequin Enterprises Ltd.
Toronto, Canada

Toute représentation ou reproduction, par quelque procédé que ce soit, constituerait
une contrefaçon sanctionnée par les articles 425 et suivants du Code pénal.
© 2001, Carolyn Greene. © 2005, Traduction française : Harlequin S.A.
83-85, boulevard Vincent-Auriol, 75013 PARIS — Tél. : 01 42 16 63 63
Service Lectrices — Tél. : 01 45 82 47 47
ISBN 2-280-14426-3 — ISSN 0993-4456

1.

Coincée sous la fenêtre à guillotine, Geneva se tortillait dans tous les sens pour se forcer un passage à l'intérieur de la maison. Peine perdue : le châssis de la fenêtre s'enfonçait fermement dans le creux de son dos. Elle poussa un soupir vaincu, comprenant que ses efforts seraient vains.

Tout cela parce qu'un couple d'oiseaux avait décidé d'élire domicile chez elle, songea-t-elle, accablée.

Une légère brise souleva l'ourlet de sa jupe, caressant ses jambes nues qui pendaient à l'extérieur. Son fils de trois ans lui chatouilla la plante du pied avec un rire ravi.

Geneva soupira de nouveau.

— Ce n'est pas drôle, Jacob.

Wade Matteo, son propriétaire, risquait de rentrer à tout moment et de la surprendre dans cette position embarrassante — au bout d'une journée seulement dans ce nouvel appartement !

Elle envisagea une seconde d'appeler Scan, le frère de son propriétaire. Quoique lourdement handicapé, le jeune homme pourrait peut-être la tirer de ce mauvais pas.

Seulement, voilà. Son contrat stipulait qu'elle devait être disponible pour aider Sean en cas de besoin et non l'inverse. Si elle appelait le jeune homme à son secours, Wade Matteo douterait de sa capacité à remplir ses obligations. Pire, il déciderait peut-être d'annuler purement et simplement leur accord.

Elle ne pouvait prendre un tel risque. Si elle perdait la jouissance de cet appartement d'un coût modeste et situé dans un superbe quartier, elle serait forcée de retourner en ville et d'abandonner tout espoir d'économiser assez d'argent pour acheter une maison un jour. Et Jacob n'aurait pas l'environnement stable qu'elle rêvait de lui donner.

Jacob qui, justement, s'agitait derrière elle, dansant d'un pied sur l'autre.

— Pipi, maman.

Bien sûr. Décidément, tout allait pour le mieux.

La première chose que Wade remarqua fut une chaussure rouge, posée sur le massif d'hortensias bleus comme une fleur de rhododendron inattendue. Puis, non loin de là, il vit une jupe en jean et deux jolies jambes qui dépassaient de la fenêtre.

Son emploi du temps pour cet après-midi devrait attendre. Sans pouvoir réprimer un sourire, Wade ramassa la chaussure et s'approcha, intrigué malgré lui par sa nouvelle locataire.

La charmante Mme Jensen avait passé la semaine précédente à faire le ménage et à s'installer dans l'appartement. Célibataire endurci, Wade avait résolu de garder ses distances, mais le petit incident dont il était témoin l'obligeait à intervenir.

— Sean ?

La voix de la jeune femme était plaintive, comme si elle avait abandonné tout espoir d'être secourue. Mais il était curieux qu'elle appelle son frère, songea Wade. Ce dernier, atteint d'une maladie rare, marchait à l'aide de béquilles et ne pouvait soulever d'objets lourds. De plus, par ce samedi après-midi, le jeune homme se trouvait sans doute sur le terrain de golf, occupé à pousser son caddie sur le green et à ramasser des balles perdues tout en bavardant avec les clients.

Dans la position où elle se trouvait, Geneva ne pouvait voir le nouvel arrivant, mais elle se raidit en entendant les bruits de pas sur le plancher de la véranda.

— Je pensais que vous n'arriveriez jamais, dit-elle avec soulagement. Je vous en prie, ne parlez pas de cet incident à votre frère.

— Et pourquoi pas ?

— Monsieur Matteo ? fit-elle, choquée.

— Appelez-moi Wade, répondit-il de la voix chaude et sensuelle qui seyait si bien à son personnage de play-boy.

— Pourriez-vous remonter la fenêtre, s'il vous plaît ?

Elle était nerveuse, songea-t-il. Et totalement à sa merci.

— Ne bougez pas, fit-il en se penchant au-dessus d'elle.

Il glissa les bras sous le cadre de la fenêtre, effleurant accidentellement les hanches de Geneva. Celle-ci tressaillit, mais obtempéra néanmoins. D'ailleurs, prisonnière

9

comme elle l'était, elle n'avait guère le choix, songea-t-elle en réprimant une grimace de douleur. Son T-shirt était sorti de sa jupe, et le cadre de bois lui mordait cruellement le dos.

Quelques secondes plus tard, Wade soulevait la fenêtre, libérant Geneva. Elle recula à tâtons, et serra son fils contre elle avant de lisser la crinière de cheveux bruns qui tombait en cascade sur ses épaules.

Oubliant momentanément de remercier son sauveur, elle souleva le bas de son T-shirt pour inspecter les dégâts. Elle ne saignait pas, mais la peau était éraflée par endroits.

Wade se pencha et émit un petit bruit compatissant qui, curieusement, la rasséréna.

— Hum ! Cela doit vous faire mal.

Soudain gênée à la pensée qu'elle exhibait son corps à un inconnu, Geneva rabattit le T-shirt sur sa jupe et feignit de s'épousseter pour dissimuler son embarras.

— Vous êtes très bien comme ça, dit-il.

Il voulait sans doute la rassurer, songea-t-elle, mais ses paroles eurent pour seul effet de l'inquiéter davantage. La réputation de séducteur de son propriétaire était déjà arrivée jusqu'à ses oreilles.

Il sortit sa chaussure de sa poche.

— Vous avez laissé tomber ceci, Cendrillon.

Elle tendit la main pour la prendre, mais trop tard. Il s'était déjà agenouillé devant elle.

— J'ai l'impression d'être le prince charmant, commenta-t-il en glissant le pied de Geneva dans la chaussure en toile.

Instinctivement, elle recula, se heurtant à la balustrade de la véranda.

— Qu'y a-t-il ? Je ne vais pas vous mordre.

Elle baissa les yeux, se demandant pourquoi sa peau la brûlait à l'endroit où il l'avait touchée.

— Ce n'est pas ce que j'ai entendu dire.

Les paroles avaient jailli de sa bouche avant qu'elle puisse les retenir, et elle s'apprêtait déjà à s'excuser quand il rejeta la tête en arrière, riant de bon cœur. Son rire chaud l'enveloppa tout entière, et Geneva se sentit heureuse d'avoir provoqué une telle réaction, même sans le vouloir.

— Ah ! Je vois que ma réputation m'a précédé.

Il ne paraissait guère s'en émouvoir. A vrai dire, il semblait plutôt amusé. Peut-être y était-il habitué, songea-t-elle, perplexe.

— Laissez-moi vous rassurer.

Il plongea son regard dans le sien, la fixant avec une intensité telle qu'elle aurait été incapable de détourner les yeux si elle en avait eu envie.

— Vous n'êtes pas mon genre.

Elle eut un haut-le-corps involontaire, vexée malgré elle par sa remarque. Que trouvait-il donc à lui reprocher ? Elle était mince, intelligente, raisonnablement séduisante et facile à vivre, en dépit de ce que son ex-mari aurait aimé lui faire croire.

— Hum ! fit-elle d'un ton sceptique.

Wade haussa un sourcil interrogateur.

— C'est-à-dire ?

— Rien, rien, rétorqua-t-elle en redressant le menton. Votre vie privée ne me regarde pas, et peu m'importe quel genre de femme vous intéresse dans la mesure où vous demeurez discret.

D'ailleurs, elle avait déjà vécu sous le même toit qu'un coureur de jupons, ajouta-t-elle en son for intérieur. Elle ne tenait pas à renouveler l'expérience.

— Vous m'avez bel et bien catalogué, observa-t-il.

Elle prit Jacob par la main et se dirigea vers la maison, mais Wade lui emboîta le pas. Malgré elle, le regard de Geneva s'attarda sur la poitrine musclée de son interlocuteur.

— Et quel est mon genre, d'après vous ? insista-t-il.

Geneva croisa les bras.

— J'ai entendu les bruits qui courent à votre sujet.

Devant son air pincé, Wade esquissa un sourire ironique.

— Vous croyez donc aux commérages ?

Elle baissa les yeux un instant, marquant une pause pour aider Jacob à monter sur son tricycle.

— Parfois, répondit-elle quand il fut à quelques pas d'eux. Quand cela risque d'affecter mon fils.

Elle se souvint du jour où elle avait entendu dire que Leslie rendait visite à une femme pendant ses prétendus voyages d'affaires. Elle ne s'était pas voilé la face alors, et n'était pas prête à le faire pour Wade Matteo.

Il acquiesça, comme s'il approuvait son point de vue.

— Et que disent les commérages ? s'enquit-il calmement.

Geneva hésita.

— Allez-y, je vous en prie.

Il ne lâcherait pas prise si facilement, se dit-elle. Eh bien, tant pis ! S'il tenait absolument à le savoir, elle serait franche avec lui.

12

— On dit que vous aimez séduire les femmes. *Toutes* les femmes qui croisent votre chemin !

Il lui prit la main, l'enveloppant d'un regard si intense que Geneva se perdit dans la profondeur de ses yeux verts. L'espace d'une seconde, elle se sentit terriblement vulnérable.

— Faux.

Il s'éclaircit la gorge et lui décocha un sourire de prédateur.

— Les jolies femmes, corrigea-t-il. Ce qui veut dire qu'après tout vous êtes tout à fait mon genre.

Geneva cilla. Cette conversation prenait un tour dangereux.

— Merci de m'avoir secourue, fit-elle d'un ton dégagé. La prochaine fois, je trouverai le moyen de coincer la fenêtre avant d'entrer.

Wade la considéra d'un air soucieux.

— La prochaine fois que vous oubliez votre clé, venez me demander le double. Vous pourriez vous blesser en passant par la fenêtre.

— Oh, je n'avais pas oublié ma clé...

Elle hésita avant de poursuivre, se demandant si Wade allait se moquer d'elle, comme son ex-mari l'aurait fait, puis se réprimanda intérieurement. Elle n'allait tout de même pas passer le reste de sa vie à se juger d'après Leslie.

Elle désigna d'un geste la couronne de fleurs printanières qui ornait la seule et unique porte extérieure de son appartement.

— ... c'est juste que j'ai des visiteurs inattendus.

Il fronça les sourcils et s'approcha de la porte, levant les yeux vers la couronne décorative qu'elle avait placée là quelques jours après avoir signé le bail. Elle s'avança à son tour et son délicieux parfum de cannelle et de vanille chatouilla les narines de Wade.

Prenant une profonde inspiration, il s'efforça de se concentrer sur ce qu'elle lui montrait, résolu d'en finir au plus vite et de mettre une bonne distance entre eux deux.

— Vous voyez ? fit-elle en lui effleurant le bras comme elle désignait la partie inférieure de la couronne. Dans ce bouquet d'herbe ?

Il examina la touffe d'herbe de plus près. Visiblement, elle avait été ajoutée à la couronne après que celle-ci avait été accrochée. Dissimulée derrière un oiseau orne-mental, elle formait un nid douillet, bien camouflée sous les décorations de la porte.

Il se pencha et aperçut une petite tête noire, et un œil qui le regardait fixement. Leurs regards se croi-sèrent un instant avant que l'oiseau affolé ne s'envole brusquement.

Surpris, Wade eut un mouvement de recul et entra en collision avec Geneva qui se tenait juste derrière lui.

— Je vous l'avais bien dit, fit-elle comme s'il avait douté de ses paroles. Maintenant, regardez dans le nid.

Allons bon ! Quelles autres surprises lui réservait cette couronne d'apparence si ordinaire ? se demanda-t-il, intrigué, avant de lui obéir.

Bien à l'abri dans un cocon de duvet se trouvait un œuf minuscule, d'un blanc immaculé. Geneva regarda à son tour, sa tête touchant presque la sienne tandis qu'ils contemplaient le fragile contenu du nid. Inspirant de nouveau le léger parfum vanillé qui émanait d'elle, Wade sentit une vague de désir monter en lui.

— Je l'ai remarqué ce matin. Après la pluie d'hier soir, le bois avait gonflé et j'ai dû tirer sur la porte d'un coup sec pour la fermer. Et l'oiseau s'est envolé, exactement comme il vient de le faire.

Elle ramassa une brindille égarée derrière le faux oiseau qui servait à la fois de sentinelle et de support au nid.

— C'est une chance que le nid ne soit pas tombé.

En effet, songea Wade, car sa locataire aurait été poursuivie par les remords.

— Ce sont des mésanges, annonça-t-il. Il y aura quatre ou cinq œufs d'ici à la fin de la semaine. Vous allez avoir de la compagnie pendant un bon mois, jusqu'à ce que les petits quittent le nid.

Songeuse, Geneva enroula distraitement une mèche de ses cheveux autour de son doigt. Ses ongles étaient courts et soignés. Féminins, mais sans prétention, exactement comme elle, se dit-il, la comparant mentalement à la femme avec qui il était sorti la veille et dont les faux ongles écarlates ne survivraient certainement pas à une journée de travail normale.

Jacob s'approcha, las de faire le tour de l'arbre sur son vélo. Le petit garçon, dont la peau mate et les yeux marron ressemblaient de manière frappante à ceux de sa mère, s'approcha et tira sur la jupe de Geneva.

— Maman ? dit-il d'une voix pressante.

Elle se baissa et le prit dans ses bras.

— Oh, je suis désolée, mon chou ! J'avais oublié ! fit-elle en saluant Wade d'un signe de tête avant de se diriger vers la fenêtre.

Wade fronça les sourcils. Kinnon Falls était une petite ville paisible, mais il n'aimait guère l'idée que sa nouvelle

15

locataire doive entrer et sortir de chez elle par une fenêtre qui resterait de ce fait constamment ouverte.

— Attendez une minute, intervint-il en posant une main sur son bras.

Sa peau était lisse et chaude, et il fut submergé par l'envie de la caresser. De remonter jusqu'à son épaule, jusqu'à son cou... Elle tressaillit, comme si le contact l'avait troublée autant que lui.

Il retira sa main.

— Vous pouvez passer par la porte de communication entre nos deux appartements.

Elle fronça légèrement les sourcils, et un pli soucieux se dessina sur son front. Elle était sans doute inquiète pour sa réputation, songea-t-il.

— C'est temporaire, assura-t-il. Jusqu'à ce que nous trouvions une autre solution.

Geneva hocha la tête comme à regret, et le suivit dans le garage, tandis qu'il expliquait que les parties qui abritaient son appartement et celui de Sean avaient été ajoutées à la maison principale par ses parents à l'époque où il était encore adolescent.

— Ma grand-mère a vécu ici après s'être fait opérer de la hanche, dit-il. De cette façon, elle était indépendante, mais mes parents pouvaient venir la voir chaque jour et s'assurer que tout allait bien.

Comme Geneva devait le faire à présent pour son jeune frère.

— L'appartement de Sean était-il destiné à vos autres grands-parents ? s'enquit-elle, alors qu'ils pénétraient dans le salon.

Il sourit et se dirigea vers la porte qui reliait leurs appartements.

16

— C'était pour moi. Je menais déjà une vie très active à l'âge de dix-sept ans, et mes nombreux visiteurs dérangeaient toute la famille. C'est pourquoi mes parents ont fait construire cet appartement en même temps que l'autre.

Choquée, Geneva écarquilla les yeux. Ainsi, il avait commencé à mener une vie de débauche à l'âge de dix-sept ans ! Et avec la bénédiction de ses parents, encore ! Pas étonnant qu'il soit encore célibataire, et même, qu'il ait eu le douteux privilège d'avoir été élu « Célibataire de l'Année », comme l'indiquait l'épingle en or qu'il portait au revers de sa veste.

Malheureusement, elle ignorait tout cela quand elle avait signé le bail. Si elle avait été au courant de la réputation de Wade, elle serait allée vivre ailleurs. Une chose était certaine, cependant : jamais elle n'aurait trouvé un logement aussi confortable et aussi bon marché.

Situé au cœur du quartier le plus chic de Kinnon Falls, l'appartement offrait une vue imprenable sur un lac, derrière lequel s'étendait un parcours de golf. A quelques minutes à pied, les jardins du Country Club offraient un lieu de promenade agréable, et un cadre idéal pour mariages et réceptions en plein air.

Wade déverrouilla la porte qui séparait leurs deux appartements et la poussa en vain. Il se retourna vers elle.

— Vous avez ajouté une autre serrure, observa-t-il.

Et comment ! En tant que propriétaire du Country Club, il était peut-être l'homme d'affaires le plus en vue de Kinnon Falls, et le chouchou de ces dames, mais elle n'allait pas prendre de risque ! Même si elle ne l'intéressait sans doute pas. Elle devait protéger sa propre réputation.

— Pipi ! répéta Jacob d'un ton pressant.

— Il va me falloir quelques minutes pour passer par la fenêtre et ouvrir vos verrous, avertit Wade. Vous pouvez emmener votre fils chez moi. C'est la première porte à droite dans le couloir.

Elle suivit ses instructions et traversa la maison, admirant au passage les meubles en acajou et les tapis orientaux. Elle fut surprise par l'élégance sobre de la décoration. Compte tenu du fait que Wade était célibataire, l'ensemble était étonnamment ordonné.

Ils revinrent au bout de quelques minutes pour trouver ce dernier debout près de la porte ouverte, une lueur amusée dans ses yeux verts.

— Vous avez ajouté un verrou *et* une chaîne de sécurité ?

— De nos jours, on ne peut jamais être trop prudent, marmonna Geneva, embarrassée.

— C'est bien vrai, opina-t-il, comme pour lui confirmer qu'elle avait raison de se méfier de lui. Ce qui m'amène justement à votre problème d'accès.

Il tendit la main vers une coupe posée sur la table du salon et leur offrit des bonbons. Jacob en prit un. Geneva déclina l'offre, et Wade en donna un second à l'enfant, qui sourit avec reconnaissance à son bienfaiteur. Geneva ouvrit la bouche pour dire qu'il n'avait pas encore déjeuné, puis se ravisa, décidant de se taire pour cette fois. Avec un peu de chance, ils n'auraient guère l'occasion de croiser leur propriétaire à l'avenir.

Il tira une clé de sa poche.

— Je vais me renseigner pour savoir si ce nid peut être déplacé sans risque pour les œufs, dit-il. En attendant, vous pouvez utiliser mon double pour entrer chez vous.

Geneva recula d'un pas.

— Non, je ne crois pas que ce soit nécessaire, protesta-t-elle en rougissant.

Elle savait pertinemment qu'elle n'avait pas d'autre solution pour l'instant, mais espérait avoir une inspiration.

Il laissa retomber sa main, les doigts crispés sur la clé.

— Vous n'avez pas peur de moi, n'est-ce pas ?

Geneva hésita. Elle ne pouvait pas l'offenser en lui expliquant qu'elle craignait que sa réputation de don Juan n'affecte la sienne, au même moment où il lui faisait cette offre généreuse, évidemment motivée par le désir de lui faciliter la vie.

— Vous devez être très occupé, dit-elle enfin. Je ne voudrais pas vous... euh... gêner.

— Vous avez de la chance, rétorqua-t-il en lui tendant la clé de nouveau. Je ne me livre à des orgies qu'une fois tous les deux mois. Ce mois-ci, je me repose en étudiant les cassettes vidéo.

Geneva demeura une seconde bouche bée avant de se reprendre.

— Vous vous moquez de moi, dit-elle d'une voix incertaine, n'est-ce pas ?

Wade fronça les sourcils. Il ne pouvait guère lui reprocher d'avoir cru les rumeurs qui circulaient sur son compte... N'avait-il pas lui-même encouragé certaines de ces rumeurs ?

Les femmes qu'il fréquentait d'ordinaire étaient toutes conscientes de sa réputation. Quand elles l'accompagnaient à des galas ou à des soirées, elles savaient pertinemment qu'il était un homme qui aimait la vie facile. Elles n'exigeaient rien de lui, n'attendaient aucun engagement au-delà de la soirée. S'il avait de la chance — et c'était souvent le cas —, il parvenait à obtenir d'elles ce qu'il désirait. Elles donnaient volontiers, sans rien attendre en retour. Et cela lui convenait.

Mais la méfiance qui assombrissait le beau visage de Geneva le troublait. Que craignait-elle ? Pour la première fois depuis des années, il fut tenté de démolir la façade qu'il s'était créée avec tant de soin. Mais il ne pouvait révéler son vrai personnage, certainement pas à une femme comme Geneva. Il courrait trop de risques à lui laisser voir la personne qu'il dissimulait sous son masque public. S'il baissait sa garde, il se surprendrait peut-être à désirer ce qu'il s'interdisait depuis...

Wade serra les dents. A quoi bon revenir sur le passé ?

— Je ne suis pas si terrible, protesta-t-il enfin. Je vais même à la messe de temps en temps.

Le visage de Geneva s'illumina subitement d'un grand sourire, laissant apparaître de délicieuses fossettes sur ses joues.

— Vraiment ? Jacob et moi aussi, dit-elle en tirant un mouchoir de sa poche pour nettoyer les doigts poisseux de l'enfant. Cela vous ennuierait que nous y allions avec vous dimanche ?

Wade se sentit piégé. Comment cette femme pouvait-elle faire naître en lui un tel tumulte d'émotions ? se demanda-t-il, interdit, songeant à tous les problèmes que son arrivée lui avait causés. D'abord, elle lui plaisait trop, en dépit du fait qu'elle possédait toutes les qualités qu'il essayait d'éviter chez une femme. Ensuite, à cause d'une simple couronne de fleurs, elle lui faisait perdre sa tranquillité. Et voilà qu'elle s'immisçait dans sa vie privée !

Il fallait réagir, se dit-il, reprendre ses distances avant que son cœur et ses hormones aient raison de son bon sens.

Elle poussa doucement Jacob dans l'appartement, décochant à Wade un sourire chaleureux au passage, un sourire qui faillit faire voler en éclats l'armure qui le protégeait depuis des années.

— A dimanche !

Et Wade comprit ce qu'il lui restait à faire.

2.

Wade contempla le téléphone en soupirant. Pourquoi trouvait-il si difficile d'inviter une riche et séduisante héritière au bal qui serait prochainement donné au profit de l'hôpital de la ville ?

C'est parce qu'il avait tout simplement l'impression d'être un hypocrite, voilà pourquoi ! Cette femme ne lui était même pas sympathique. Mais il avait fait la même chose des dizaines de fois auparavant sans éprouver pareille réticence. D'ailleurs, il n'avait pas eu tant de scrupules à arranger un rendez-vous entre le pasteur et Geneva.

Peut-être la jeune femme avait-elle quelque chose à voir avec son hésitation. Qu'il le veuille ou non, son arrivée l'avait perturbé. La présence d'une femme, surtout une femme aussi candide et aussi maternelle qu'elle, le troublait.

Il se surprenait à rêver de défaire la barrette qui retenait ses cheveux et d'enfouir les doigts dans sa splendide chevelure brune. Et, s'il n'y prenait garde, il imaginait même Geneva blottie au creux de ses bras, ses boucles soyeuses caressant son torse nu...

Il mit un terme à sa rêverie. N'avait-il pas résolu de ne fréquenter que des femmes de plus de quarante ans qui n'avaient aucun désir d'avoir des enfants ? Geneva était jeune, et tout en elle exprimait le désir d'avoir d'autres enfants, une grande famille à chérir. Elle était le type même de la femme qui souhaite une relation stable... et des promesses qu'il ne pouvait tenir.

Wade arpenta longuement la pièce, se rappelant que la fin justifiait les moyens, et se força à composer le numéro de Cherie Watson.

Cherie était la fille d'un riche homme d'affaires devenu sénateur, et bien que son père soit décédé quelques années plus tôt, sa mère et elle entretenaient encore des liens étroits avec le milieu politique.

De son côté, Wade travaillait d'arrache-pied depuis des années à rassembler des fonds pour l'hôpital pour enfants de Kinnon Falls. Non seulement un don généreux de Cherie financerait l'acquisition d'un scanner, mais un mot de sa part à l'oreille d'un politicien bien placé ne pourrait qu'être bénéfique à la cause qu'il défendait.

Songeuse, Geneva souleva Jacob dans ses bras pour lui permettre d'apercevoir les deux dernières apparitions dans le nid. Elle devait s'avouer qu'elle était reconnaissante à son propriétaire d'avoir arrangé ce rendez-vous avec un homme aussi gentil qu'Ellis, même si Wade ne s'était pas montré très subtil.

Après la messe, elle avait eu le temps de bavarder un peu avec Ellis hors de la présence de son voisin. Quelques minutes lui avaient suffi pour se rendre compte que ses désirs reflétaient en tout point les siens. Le pasteur adorait les enfants et rêvait d'une grande famille traditionnelle.

Elle se recula légèrement, examinant le mur. Si elle pouvait déplacer la couronne, les oiseaux adultes s'adapteraient sans doute à ce changement mineur, et elle recouvrerait l'usage de sa porte.

Ces derniers jours, elle avait dû traverser l'appartement de Wade pour gagner le sien. Il avait affirmé que ses allées et venues ne le dérangeaient pas du tout, mais elle était résolue à trouver une autre solution. Aujourd'hui. *Avant* son dîner avec Ellis prévu le lendemain soir.

Il était déjà assez gênant d'avoir à déranger Wade chaque fois qu'elle voulait entrer ou sortir avec Jacob, mais s'il devait en plus être témoin des visites d'un prétendant...

D'ailleurs, à en juger par la façon dont il avait manigancé ce rendez-vous avec Ellis, il était fort capable de se mêler de ce qui ne le regardait pas. Or, elle ne tenait pas à lui en fournir l'occasion.

Rassemblant son courage, Wade prit une profonde inspiration et acheva de composer le numéro. C'était seulement pour une soirée, après tout. Et un événement public de surcroît, pas un dîner en tête à tête. A l'autre bout du fil, la sonnerie retentit une fois.

— Excusez-moi, fit une voix derrière lui.

Wade sursauta et pivota sur ses talons. Geneva se tenait sur le seuil du salon, arborant un air hésitant.

Il retint son souffle à sa vue, et laissa retomber le combiné. Elle portait un bermuda blanc particulièrement sexy qui mettait en valeur son ventre plat, ses hanches rondes et ses jolies jambes légèrement bronzées. Son chemisier bleu marine épousait si étroitement les courbes de sa poitrine que Wade en eut des picotements dans les doigts.

Comme d'habitude, ses cheveux paraissaient vouloir échapper aux barrettes qui les retenaient prisonniers. Un peu de pollen était resté collé à sa tempe, signe qu'elle avait fait du jardinage ou joué dehors avec Jacob. Il songea soudain qu'elle éclipserait facilement toutes les femmes au bal qui devait avoir lieu le mois suivant.

— Je suis désolée de vous déranger, mais je me demandais si je pouvais vous emprunter un marteau ?

Jacob se faufila entre ses jambes et renchérit.

— Bam ! Bam ! Bam !

Wade sourit et fit signe à Geneva de le précéder.

— Bien sûr, répondit-il. Ils sont dans le garage.

Il la suivit, songeant qu'elle était aussi séduisante de dos que de face. S'il ne s'éloignait pas immédiatement, il risquait de faire ou de dire quelque chose qu'il regretterait plus tard. Il lui tendit trois marteaux de taille différente et tourna les talons abruptement. Rentré dans le salon, il tenta de repousser la vision de Geneva et de retourner à la tâche qu'il remettait à plus tard depuis plusieurs jours.

Au bout d'un moment, les battements de son cœur s'apaisèrent, et il s'obligea à décrocher de nouveau le téléphone. Il venait de raccrocher sans avoir composé le numéro quand Geneva réapparut.

— Je crois que j'ai besoin d'un tournevis aussi.

— Ils sont sur l'établi où j'ai pris les marteaux, se contenta-t-il de dire, l'invitant d'un geste à aller se servir elle-même.

Elle comprit le message et disparut avant qu'un revers de conscience le fasse changer d'avis.

Il ne pouvait plus tergiverser, songea Wade en pensant au bal. Même s'il n'avait jamais de mal à trouver une femme pour l'accompagner à ces soirées, la plus élémentaire courtoisie exigeait qu'il formule son invitation assez longtemps à l'avance. Et le bal était prévu dans deux semaines.

Pourtant, la logique de son argument ne suffit pas à le persuader. Il était troublé, en partie par la vision de Geneva dans son petit bermuda, et en partie parce qu'il se demandait ce qu'elle voulait faire avec ses outils. Il se souvint qu'il avait promis de lui installer des étagères au-dessus de sa machine à coudre. Avait-elle soudain décidé d'effectuer cette tâche elle-même ?

Renonçant à sa mission, il lui emboîta le pas et se dirigea vers le garage. Geneva venait d'enfoncer un clou dans le panneau de bois près de la porte. Elle tendit la main vers la couronne pour la déplacer.

— Si j'étais vous, je n'y toucherais pas, fit-il dans son dos.

Geneva sursauta et faillit laisser échapper la couronne.

— Vous m'avez fait peur !

Wade ignora son ton de reproche.

— On m'a dit que les parents risquaient d'abandonner le nid si vous le changez de place, dit-il simplement.

— Que suis-je censée faire, en ce cas ? soupira Geneva, envahie par la frustration. J'ai un rendez-vous demain soir et je tiens à faire bonne impression.

— Ne vous inquiétez pas pour cela, fit Wade en s'approchant plus près.

Comment pourrait-il ne pas être impressionné ?

26

— Vous savez ce que je veux dire. Cela va lui paraître bizarre que je traverse votre appartement à n'importe quelle heure.

— Qu'y a-t-il ? murmura-t-il. Auriez-vous peur que les braves gens de Kinnon Falls s'imaginent que nous formons un couple ?

Evidemment ! répondit-elle intérieurement, mais elle ne pouvait pas lui avouer cela sans l'offenser.

— Je pense seulement qu'Ellis va trouver la situation étrange.

— Tenez, prenez ma clé, fit-il en pressant le morceau de métal dans sa paume. Je me tiendrai à l'écart pendant que vous deux ferez connaissance.

Cela semblait si intime, si personnel, d'être en possession de la clé de chez lui ! Elle avait repoussé le moment de l'accepter, espérant trouver une solution plus acceptable au problème du nid. Mais cela n'avait abouti qu'à les mettre en contact plus souvent, puisqu'il venait leur ouvrir la porte chaque fois.

Incapable de rencontrer son regard, Geneva referma ses doigts sur la clé et feignit de jeter un coup d'œil dans le jardin où Jacob jouait dans le bac à sable que Wade lui avait construit.

— J'apprécie beaucoup votre générosité, répondit-elle d'un ton hésitant.

Qu'avait-il voulu dire ? Avait-il lui aussi l'intention d'avoir de la compagnie le lendemain soir ?

— Compte tenu de votre… euh… situation de célibataire, nous pourrions peut-être imaginer un code qui me permettrait de savoir quand vous êtes… euh… occupé, continua-t-elle en rougissant. Peut-être une bougie devant une des fenêtres ou un ruban attaché à la poignée ?

Pensif, Wade se frotta le menton.

— A moins que je ne relie l'ampoule de la véranda aux ressorts de mon lit ? Quand l'ampoule se mettra à clignoter, vous saurez que...

— J'aurais dû deviner que vous alliez vous moquer de moi, coupa-t-elle, exaspérée. Cela n'a peut-être aucune importance pour vous, mais il faut que je pense à mon fils.

Elle jeta un coup d'œil vers l'enfant, s'assurant qu'il ne pouvait l'entendre.

— Je veux qu'il soit élevé dans un environnement respectable.

Wade se fit soudain grave. Il se pencha vers elle, comme pour donner plus de poids à ses paroles. La bouche sèche, Geneva recula d'un pas.

— Vous ne manquez pas d'imagination, observa-t-il, mais soyez prudente. Il ne faut pas se fier aux apparences.

La soirée de Geneva ne débuta pas sous les meilleurs auspices. Quand le pasteur se présenta devant sa porte, elle n'entendit pas la sonnette, et ce fut Wade qui accueillit Ellis, un fouet à la main et un sourire espiègle sur les lèvres. Elle avait espéré qu'il sortirait, mais, apparemment, il avait l'intention de passer la soirée à la maison.

Vêtu d'un jean et d'un T-shirt qui en accentuait sa carrure d'athlète, il avait l'air d'un éternel adolescent. Par contraste, Ellis arborait une tenue classique, pantalon crème, chemise bleu pâle et cravate bleu marine.

Jacob se tenait timidement derrière Geneva, cachant son visage dans les replis de sa jupe. Hormis la situation actuelle avec son propriétaire, elle trouvait que Kinnon Falls était l'endroit idéal pour élever son fils, se dit-elle de nouveau.

Elle observa discrètement Ellis de loin. Serait-il l'homme qui, un jour, l'aiderait dans cette tâche ? A en juger par son comportement avec les autres, et le respect évident dont il faisait l'objet, il semblait être un candidat idéal. Sinon, elle devrait continuer à chercher jusqu'à ce qu'elle ait trouvé l'homme qu'il leur fallait. Pas question de répéter l'erreur de son premier mariage en épousant quelqu'un qui ne pouvait satisfaire ses besoins. Et elle n'était plus assez naïve pour s'imaginer qu'elle pouvait changer un homme…

Elle entra dans la pièce, Jacob sur ses talons, au moment où Wade se lançait dans une explication au sujet du fouet.

— Un des moniteurs d'équitation l'a trouvé dans une vieille grange derrière les écuries, dit-il en le faisant claquer sur le plancher. Il pense qu'il a plus de cent ans.

Ellis enfonça les mains dans ses poches.

— Que comptez-vous en faire ?

Wade eut un sourire en coin.

— D'abord, j'ai pensé le garder, mais, ensuite, j'ai décidé de faire quelque chose d'un peu fou.

Craignant que la conversation dérape, Geneva jugea qu'il était temps d'intervenir et d'entraîner discrètement le pasteur dans le refuge de son appartement.

— Je ne crois pas qu'Ellis s'intéresse à…

— Je me disais que j'allais le suspendre dans la salle du restaurant, coupa-t-il sur un ton innocent, avant de hausser les sourcils à l'intention de Geneva, visiblement décidé à l'embarrasser. A quoi pensiez-vous ?

Wade lui lança un regard plus insistant que nécessaire, et elle rougit légèrement. Il ne faisait qu'exécuter son plan, se dit-il : mieux valait qu'elle ait une piètre opinion de lui, ainsi, elle l'éviterait, même s'il cédait à la tentation insensée de flirter avec elle.

Quoi de plus normal que d'être attiré par son charme innocent, par la façon dont elle baissait la tête pour cacher son embarras, par la lueur dorée qui brillait dans ses yeux bruns quand elle était fâchée contre lui ! Cela lui passerait, songea-t-il en s'arrachant à la contemplation des lèvres roses de Geneva pour se tourner vers le visiteur.

Le pasteur était un homme gentil et sympathique, et Wade ne doutait pas qu'il traite Geneva avec respect. Mais cela suffirait-il ? se demanda-t-il malgré lui. Serait-elle heureuse avec cet homme-là ?

Si les choses tournaient mal, il se reprocherait toute sa vie de l'avoir encouragée à fréquenter un homme qui ne lui convenait pas. Il devait s'assurer qu'il n'avait pas commis d'erreur, résolut-il. Et pour cela, il devait en savoir plus sur le pasteur Tackett.

— C'est votre voiture dans l'allée ?

Geneva soupira et fronça les sourcils pour indiquer à Wade qu'elle n'avait plus besoin de ses services, mais le pasteur était lancé et décrivait avec enthousiasme la Mustang de collection qu'il avait patiemment entrepris de restaurer. Wade feignit d'écouter avec attention, mais jugea vite qu'une question plus personnelle lui en révélerait plus long sur la personnalité du visiteur.

Dès que celui-ci se tut, Geneva esquissa un geste pour l'entraîner chez elle, mais Wade reprit la parole.

— Vous me semblez être un homme exigeant, pasteur. Dites-moi, à votre avis, quelles sont les qualités que vous appréciez le plus chez une femme ? demanda-t-il avec aplomb, ignorant le regard atterré de Geneva.

— Wade !

Le pasteur posa une main apaisante sur son poignet.

— Ne vous en faites pas, Geneva. C'est une question légitime.

Il s'adressa à Wade sur le ton supérieur d'un professeur qui s'adresse à un élève, certain de sa réponse.

— La foi en notre Seigneur est la plus grande qualité à laquelle on puisse prétendre.

Wade sourit sans répondre. Geneva en profita pour prendre Ellis par le bras et disparaître, Jacob accroché à ses basques.

Il les regarda partir, bien décidé à ne pas renoncer à sa mission. Il l'avait présentée à cet homme sans réfléchir, sans se renseigner au préalable, songea-t-il, envahi par le remords. Et il ne pouvait pas rester les bras croisés à regarder Geneva confier son cœur et son avenir à un homme qui était peut-être indigne de son amour !

Son inquiétude était-elle totalement désintéressée ? Wade s'avoua que non. L'innocence de Geneva lui donnait non seulement envie de la protéger, mais aussi de la garder pour lui. Dans un monde idéal, n'aurait-elle pas été son épouse idéale ?

Mais il ne vivait pas dans un monde idéal, se reprit-il. Et il n'avait aucune garantie qu'Ellis soit un bon choix pour Geneva. Pasteur ou pas, ce dernier avait sans doute sa part de défauts.

Et Wade avait toute une soirée devant lui pour les découvrir.

3.

Geneva referma la porte de son appartement avec un soupir de soulagement. Quelle mouche avait donc piqué Wade ? se demanda-t-elle en invitant Ellis à s'installer dans la cuisine pour lui tenir compagnie pendant qu'elle apportait la dernière touche au dîner.

— Cela sent terriblement bon, complimenta Ellis avant de s'asseoir. Qu'est-ce que c'est ?

— Du poulet à la romaine avec du riz, expliqua-t-elle en remuant les ingrédients qui mijotaient dans la poêle. Ce sera prêt dans un petit moment. En attendant, je serais ravie que vous me parliez un peu de Kinnon Falls.

Ainsi qu'elle l'avait espéré, le sujet plaisait à son visiteur, et contribua à briser la glace. A présent qu'il n'était plus soumis à l'interrogatoire de Wade, le pasteur se détendrait certainement, songea-t-elle.

Malheureusement, quelques minutes s'étaient à peine écoulées que Wade fit son apparition dans la cuisine, un grand sourire aux lèvres et une bouteille de vin à la main.

— J'avais remarqué que vous n'aviez plus de vin, alors je vous en ai apporté une bouteille.

— Mais je… nous ne…

33

Geneva se tut, consternée. Elle ne savait pas si Ellis buvait de l'alcool, mais en doutait fort. Wade sortit des verres du placard, en remplit un qu'il tendit à Geneva, puis un second.

— Elvis ?

Ellis ne corrigea pas l'erreur sur son prénom et se contenta de refuser d'un geste.

— Merci, non.

Exactement comme elle s'y attendait ! Il fallait qu'elle fasse sortir Wade de cette cuisine avant qu'il ait réussi à offenser Ellis davantage et à gâcher ses chances avec cet homme qui paraissait avoir tant à offrir.

— Non ? insista Wade. Un bonbon à la menthe, peut-être ?

Ellis en accepta un, et Jacob trois. Agacée, Geneva fronça les sourcils. Non seulement son propriétaire s'invitait d'office, mais il allait couper l'appétit de son fils.

— Cette maison est magnifique, fit Ellis poliment.

— Merci, Elvis. Elle appartient à ma famille depuis des générations, répondit Wade en se lançant dans l'histoire de ses ancêtres. Mon père a été le premier à renoncer à l'agriculture, vous savez.

Son visage s'assombrit.

— Et quand j'ai hérité des terres, poursuivit-il, j'ai décidé qu'un Country Club serait à la fois un lieu de distraction agréable pour la communauté et un moyen de satisfaire mes propres intérêts.

Ses propres intérêts ? Séduire les femmes les plus riches de la région ? Avant qu'il ait pu entrer dans une description plus détaillée des changements qu'il avait opérés, Geneva posa la main sur son bras et l'attira dans le couloir.

— Qu'est-ce que vous faites ?

— Rien. Je bavarde. Ce bon vieux Elvis était si coincé ! Il fallait bien que j'essaie de détendre l'atmosphère.

— Son nom est Ellis, siffla-t-elle entre ses dents. Deux l, pas de v.

— Vraiment ? En ce cas, je n'aurai pas besoin de lui demander s'il a une cape blanche et une veste en strass.

Il s'attendait à ce qu'elle s'énerve, comprit-elle, comptant jusqu'à trois lentement pour se maîtriser. La prochaine fois qu'elle aurait rendez-vous avec un homme, elle le rencontrerait ailleurs, résolut-elle. La voix de Jacob lui parvenait à travers la porte fermée de la cuisine, et elle se demanda s'il infligeait d'autres tourments à leur visiteur sans défense.

— De plus, ajouta-t-elle, ce n'est pas à vous de « détendre l'atmosphère ». Nous nous en sortirons très bien tout seuls, merci.

Il glissa un pouce dans sa ceinture.

— Cela m'ennuie d'avoir à vous le dire, mais justement non, vous ne vous en sortiez pas très bien. Je commençais à avoir pitié de ce pauvre homme. Il avait l'air drôlement mal à l'aise !

— Si vous m'aviez laissé le temps de...

Wade l'interrompit, humant l'air.

— On dirait que quelque chose est en train de brûler ?

— Mon poulet !

Geneva se rua dans la cuisine, retira la poêle de la cuisinière et souleva le couvercle afin d'inspecter les dégâts. La sauce avait pris au fond.

— Ne remuez pas, conseilla Wade par-dessus son épaule.

Il se retourna, avisa un plat en terre sur l'étagère et le lui tendit, comme s'il était chez lui.

— Mettez tout là-dedans. Ce qui a brûlé restera au fond de la poêle, et hop ! Ni vu ni connu !

Il fit un clin d'œil à Ellis.

— Vous n'avez rien entendu, évidemment !

Geneva poussa un soupir.

— Je ne sais pas. Je devrais peut-être commander une pizza à la place.

— Ouiiiii ! s'écria Jacob avec enthousiasme.

Wade prit une cuillère et la trempa dans la sauce.

— Goûtez. Je suis sûr que c'est très bon.

— Vous dites cela parce que c'est de votre faute, protesta-t-elle, refusant la cuillère.

Wade haussa les épaules et goûta lui-même.

— Pas mal du tout, commenta-t-il. Délicieux, même.

Bien sûr qu'il allait insister pour dire que c'était bon, songea Geneva, agacée. S'il ne l'avait pas détournée de ses occupations, le plat n'aurait jamais brûlé. En minimisant l'étendue des dégâts, il s'absolvait de toute responsabilité !

— Eh bien, mangez-le, en ce cas ! marmonna-t-elle, se demandant si elle ne devait pas emmener Ellis au restaurant.

— Avec plaisir, répondit Wade en ajoutant un quatrième couvert sur la table.

Il commença à servir avant même qu'elle ait eu le temps de réagir. Ellis déplia sa serviette, et Jacob l'imita aussitôt. Quand Wade eut terminé, il tira une chaise à l'intention de Geneva et attendit qu'elle ait pris place. Visiblement gêné d'avoir été pris en défaut, Ellis se leva et attendit poliment, de nouveau imité par Jacob.

Elle s'assit, non sans décocher un regard menaçant à Wade. Comment osait-il s'immiscer ainsi dans sa vie privée ? Elle pouvait dire adieu au dîner intime qu'elle avait envisagé...

A son grand soulagement, le plat n'avait pas trop souffert. Comme s'il avait lu dans ses pensées, Wade lui adressa un léger sourire, puis se tourna vers Ellis et entama une discussion toute masculine portant sur la restauration des voitures anciennes.

La soirée ne se déroulait absolument pas comme elle l'avait prévu, et la faute en incombait presque entièrement à Wade, songea Geneva au comble de l'exaspération. La conversation allait bon train, certes, mais ce n'était pas nécessairement un bien.

Quand le repas s'acheva, elle en avait appris beaucoup plus long qu'elle le souhaitait sur les particularités du moteur de la Mustang 65 d'Ellis. Néanmoins, ce dernier semblait être un homme charmant. Courtois, sincère et intelligent.

Comment trouver un moyen de faire plus ample connaissance avec lui ? Si la soirée continuait comme elle avait commencé, ils n'auraient même pas la possibilité d'échanger deux mots en tête à tête !

Elle avait un compte à régler avec Wade, se dit-elle. Ou plutôt deux. Un pour le plat qu'il avait gâché, et le second pour s'être imposé de la sorte.

— C'est un succès, n'est-ce pas ? murmura-t-il discrètement, alors qu'elle achevait de ranger la vaisselle.

Geneva en resta bouche bée. Ainsi, il s'imaginait que tout se passait pour le mieux ! Elle se ressaisit et jeta un coup d'œil furtif à Ellis, qui, tout en débarrassant la table, donnait des instructions à Jacob sur la meilleure façon d'essuyer celle-ci.

— J'aimerais donner une chance à cette relation, rétorqua-t-elle à voix basse, mais c'est impossible à quatre.

Sur quoi elle se tut, lui laissant le temps d'assimiler le sens de ses paroles.

— Je pourrais peut-être vous aider, offrit-il. Si j'emmenais Jacob un moment pour qu'Ellis et vous puissiez... euh... bavarder sans interruption ? Vous voulez mettre une bougie à la fenêtre, ou un ruban sur la poignée ?

Elle le foudroya du regard.

— Comme vous l'avez dit vous-même, Wade, rétorqua-t-elle sur un ton cinglant, j'aimerais bavarder avec lui. Rien de plus.

— Bonne tactique, commenta-t-il. Faites-le patienter !

Geneva prit une profonde inspiration et expulsa lentement l'air de ses poumons. Inutile de lui expliquer qu'il ne s'agissait pas d'une manœuvre. Sans doute ne comprendrait-il pas. Leur mode de vie était si radicalement différent qu'ils ne partageraient certainement jamais les mêmes points de vue.

Wade jeta un coup d'œil par-dessus son épaule avant de sortir, flanqué de Jacob. Geneva et Ellis auraient le temps de parler entre adultes, et peut-être même d'échanger un baiser ou deux.

Cette dernière éventualité le troublait plus qu'il n'aurait voulu l'admettre. Et pourquoi donc, après tout ? Le pasteur était plutôt sympathique. Mais son instinct lui soufflait qu'il n'était pas l'homme qu'il fallait à Geneva.

Que lui importait, cependant ? se raisonna-t-il. Elle n'était que sa locataire. Rien de plus.

D'où venait ce subit instinct de protection qu'il éprouvait à son égard ?

— Vous êtes couturière ? s'enquit Ellis en s'approchant de la machine à coudre placée dans un coin du salon.

Geneva fit oui de la tête.

— Je travaille sur commande, expliqua-t-elle.

— Cette robe vous va bien. L'avez-vous confectionnée vous-même ?

— Oui. Merci.

Geneva était fière de son talent, mais doutait qu'Ellis soit particulièrement passionné par la couture. Soucieuse de « détendre l'atmosphère », comme avait dit Wade, elle lui fit signe de venir s'asseoir près d'elle sur le canapé, et entreprit de lui poser des questions quant à ses responsabilités au sein de l'église.

Il commençait tout juste à s'animer un peu quand la porte du salon s'ouvrit, livrant passage à Jacob et à Wade. Le plus âgé tenait une énorme glace à demi mangée qui appartenait visiblement à son compagnon. Tous deux portaient une boîte à outils et une casquette de base-ball aux couleurs du Country Club. Jacob marchait fièrement, la main sur son étui à marteau, tel un John Wayne miniature face à un hors-la-loi.

Le sourire de Wade s'effaça quand il vit Geneva et Ellis assis l'un près de l'autre sur le canapé. Fronçant les sourcils, il déposa la glace sur la table du salon.

— Je pensais que vous étiez dans la cuisine, vous deux. Jacob et moi sommes venus installer les étagères que vous vouliez, si cela ne vous dérange pas.

Geneva n'en croyait pas ses oreilles. Il savait qu'elle voulait être seule avec Ellis. Il lui avait même proposé de garder Jacob pour leur permettre d'avoir un peu d'intimité ! Certes, il avait cru qu'ils étaient encore dans la pièce voisine, mais tout de même...

Elle laissa échapper un soupir résigné, et, quelques minutes plus tard, les trois hommes se mettaient au travail : Jacob tenait la boîte de vis, Ellis maniait le niveau, et Wade le marteau, tandis que Geneva arpentait la pièce, se sentant parfaitement inutile.

Quand tout fut terminé, elle remercia son équipe de bricoleurs. Après tout, elle se réjouissait d'avoir des étagères. La fierté évidente de Jacob lui faisait plaisir, même si elle ne pouvait s'empêcher de regretter que Wade n'ait pas choisi un meilleur moment pour les installer.

Ce dernier s'inclina courtoisement, puis s'adressa à Jacob.

— N'oublie pas ta glace !

Bousculant Ellis qui regagnait sa place, l'enfant trotta vers le canapé, et s'empara du dessert. Sa petite main ploya sous le poids de la coupe de verre qui pencha dangereusement. Ellis tendit la main pour l'aider, mais Jacob, qui tenait visiblement à se débrouiller seul, tenta de se dégager.

— Non, protesta-t-il en tirant d'un coup sec sur la coupe qu'Ellis lui disputait.

Tout se passa si vite que Geneva eut à peine le temps de voir la crème glacée se renverser... pile sur les genoux d'Ellis, éclaboussant pantalon, chemise et cravate.

— Oh, Ellis, je suis désolée !

Geneva se précipita vers lui, mais Wade l'avait devancée. A l'aide d'une spatule, il retira les plus gros morceaux de glace et les remit dans la coupe. Comme sous le choc, Ellis restait immobile, tenant sa chemise trempée à distance de son estomac.

Pour couronner le tout, Jacob, le menton tremblant, éclata en sanglots. Geneva ne savait où donner de la tête. Devait-elle consoler son fils, aider Wade à nettoyer son invité ou le houspiller pour avoir été à l'origine de la catastrophe ?

Quelques minutes plus tard, ayant envoyé Jacob dans sa chambre pour changer de pyjama, Geneva impuissante regardait l'homme qui n'était plus son futur mari détaler en hâte, faisant crisser ses pneus sur le gravier de l'allée.

Inutile d'espérer un autre rendez-vous.

Wade fit un pas vers elle, et lui mit une main sur l'épaule.

— Je suis désolé.

— L'homme qui vient de partir aurait pu être le beau-père de Jacob un jour, dit-elle d'une voix accablée.

Il la fit pivoter vers lui, accentuant la pression sur son bras.

— Cherchez-vous un père pour Jacob ou un mari pour vous ? demanda-t-il en prenant sa main dans la sienne malgré sa résistance. Votre fils va grandir. Ne voulez-vous pas épouser un homme qui *vous* convienne ?

— C'est secondaire.

Avait-elle réfléchi à cette question avant d'épouser Leslie ? se demanda-t-elle. Leslie, qui s'était servi de la naissance de leur fils comme d'une excuse pour ses infidélités. Il n'avait jamais partagé son désir d'avoir une grande famille. Naïvement, elle avait espéré qu'il changerait d'avis après la naissance de Jacob, qu'il serait conquis par le charme de leur enfant. La leçon avait été dure, mais Geneva savait désormais qu'il est impossible de changer une autre personne.

Elle retira sa main, le regard fixé sur la route, sachant qu'elle ne trouverait peut-être jamais un autre homme qui possède autant de qualités que le pasteur.

— D'ailleurs, je pense qu'Ellis aurait fait un excellent mari.

Wade attendit un instant avant de répondre, d'une voix à la fois douce et ferme, chaude et grave.

— Ellis est un homme très bien, dit-il, mais je crois que vous pouvez trouver mieux.

— Vraiment ? Et où suis-je censée découvrir cet homme merveilleux qui attend que j'apparaisse dans sa vie ?

Elle détestait se montrer sarcastique, mais il avait réussi à la pousser à bout.

Wade ouvrit la bouche comme pour dire quelque chose, mais il se ravisa aussitôt. Il se contenta de fermer la porte d'entrée, s'interposant entre Geneva et la vue de l'allée. Elle pivota sur ses talons, visiblement désireuse de se réfugier dans son appartement, mais s'arrêta sur le seuil, les sourcils froncés.

Il l'observait, admirant la grâce fluide de ses mouvements. Devait-il s'excuser du rôle qu'il avait joué dans la disparition de son prétendant ? Un sourire involontaire s'esquissa sur ses lèvres à la pensée qu'elle était encore libre. Cela n'avait pas de sens, se réprimanda-t-il, puisqu'il ne voulait pas d'une relation avec elle !

Elle s'était immobilisée et le fixait du regard.

— Vous trouvez que c'est drôle, n'est-ce pas ?

— Non, je…

Elle écarquilla les yeux.

— Vous l'avez fait exprès, accusa-t-elle, comme si la lumière venait de se faire dans son esprit. Vous nous avez séparés ! Pourquoi ? C'était un jeu ? Vous prenez plaisir à gâcher la vie des gens ?

— Bien sûr que non. Je…

Elle l'interrompit d'un geste.

— Peu importe. Vos excuses ne m'intéressent pas. Je vois que les choses ne se passent pas de la manière dont je l'avais espéré ici. Je devrais peut-être déménager.

Wade s'abstint de lui faire remarquer qu'elle ne trouverait pas de meilleur endroit où élever son enfant, ni de logement moins cher que celui-là.

— Je pourrais aller vivre chez ma mère, dit-elle sur un ton vaincu, jusqu'à ce que je puisse acheter une maison.

Wade croisa les bras. Les yeux bruns de Geneva prirent une teinte presque noire tandis qu'ils suivaient son geste, s'attardant sur son torse musclé.

— Puis-je vous rappeler les conditions du bail… et le fait que vous vous êtes engagée à être présente pour Sean pendant que je travaille ?

Elle leva la tête vers lui.

— Je suis certaine que vous trouverez quelqu'un d'autre.

— Je ne veux personne d'autre.

C'était vrai, et cela le tourmentait. Geneva possédait un instinct maternel développé, il le sentait, et il était sûr qu'elle s'occuperait de Sean comme de son propre fils. D'ailleurs, elle avait déjà remarqué qu'il mangeait trop de plats préparés et elle avait commencé à lui donner des cours de cuisine.

Mais était-ce vraiment pour cette raison qu'il tenait à ce qu'elle reste ? A regret, Wade s'avoua que non. Au fond, il ne pouvait supporter l'idée de la voir s'en aller. Et il était bien incapable de comprendre pourquoi.

— Vous avez signé un bail d'un an, reprit-il, et je m'attends à ce que vous remplissiez vos obligations.

Elle le ferait, il n'en doutait pas. C'était la raison pour laquelle elle était venue. Elle avait expliqué à son fils qu'elle leur achèterait une maison et qu'ils ne déménageraient plus jamais, et elle tiendrait sa promesse, quels que soient les obstacles.

— Ecoutez, poursuivit Wade, les oiseaux seront partis dans quelques semaines. Chacun retrouvera son chez-soi.

Jacob accourut, une petite voiture à la main.

— Vroum, vroum !

Geneva le prit dans ses bras, et marcha de long en large dans la pièce.

— Oui. Jusqu'à la prochaine fois où vous déciderez d'intervenir dans ma vie sociale.

Wade comprenait sa colère. Il n'avait pas eu l'intention de gâcher sa soirée, mais il était évident qu'elle ne le croirait jamais.

— Laissez-moi me racheter.

Comment ? Il n'en avait pas la moindre idée, mais s'il réfléchissait, il trouverait certainement une solution, ne serait-ce que d'annuler son loyer pour ce mois-ci. Malheureusement, cela lui donnerait la fâcheuse impression qu'il tentait de l'acheter...

— Je sais exactement comment vous pouvez vous rattraper, dit-elle soudain.

Elle attendit qu'il ait considéré ses paroles, hésitant à formuler sa requête. S'il acceptait, ce serait une aide considérable. Elle espérait seulement qu'il ne la trouverait pas trop exigeante. Se rappelant qu'il devait avoir des remords d'avoir gâché ses projets, elle battit légèrement des paupières pour assurer son avantage.

Sa tactique fonctionna.

Il l'enveloppa d'un regard intense, et fit un pas vers elle. Geneva leva la tête, plongeant ses yeux dans l'océan vert sombre des siens.

— Très bien, dit-il d'une voix pleine de promesse et de menace. Mais j'attendrai quelque chose en retour.

— Venez avec moi. Je vais vous montrer ce que j'ai en tête, fit Wade en entrant dans le magasin de golf attenant au Country Club.

Il tendit la main vers le présentoir et prit un livre intitulé *Le Golf, hier et aujourd'hui*.

— Celui-ci contient peut-être des photos, dit-il en commençant à le feuilleter.

Un client le bouscula, et il faillit laisser échapper l'ouvrage. Il leva la tête vers Geneva, et, une fois de plus, se sentit irrésistiblement attiré par ses yeux gris pâle et son parfum de vanille.

— Allons nous asseoir dehors, suggéra-t-il, conscient qu'il devait s'éloigner d'elle. Il y a plus d'espace.

Il glissa une main sous son coude et la guida vers la terrasse où ils pourraient boire un café en discutant affaires autour d'une table. De loin, il aperçut Cherie en train de déguster son premier cocktail de la journée.

— A la réflexion, pourquoi ne pas nous asseoir sur ce banc ? De là, on voit très bien le nid de mésanges dans l'avant-toit.

Geneva s'assit et se pencha en avant, suivant des yeux la mère qui revenait au nid, apportant un ver à ses oisillons affamés. Elle sourit et laissa échapper un soupir attendri.

— Le printemps est ma saison préférée, dit-elle, comme à sa propre intention. J'adore les bébés de toutes sortes !

Wade déglutit avec peine. Voilà un sujet qu'il désirait éviter à tout prix. Le moment était venu de changer de conversation, se dit-il.

— A propos de ces uniformes...

Par chance, Geneva répondit avec enthousiasme.

— Ceux que vos employés portent en ce moment ne les différencient pas assez des clients, expliqua-t-elle. Mais si vous adoptez un thème — bordeaux et vert foncé, par exemple...

Elle poursuivit, les yeux brillants, et Wade sut qu'elle était dans son élément. La veille au soir, quand Geneva l'avait prié de la recommander aux clients qui louaient le pavillon pour des réceptions et des mariages, il avait eu l'idée de lui demander de créer de nouveaux uniformes pour son propre personnel. Cela semblait être une solution idéale pour l'un comme pour l'autre...

Mais pourquoi lui avoir demandé une faveur en retour ? C'était stupide, se dit-il. Peut-être pourrait-il suggérer qu'elle rende un service à Sean ?

— ... compléter l'ensemble par un béret, continuait-elle, et le tour est joué.

Une silhouette leur fit signe de loin, et, reconnaissant Sean, Geneva agita la main à son tour avant de se retourner vers Wade avec un sourire qui le bouleversa. Il dut se faire violence pour réprimer l'envie de l'attirer contre lui, d'enfouir ses mains dans les boucles folles de ses cheveux, et d'inspirer à fond le parfum enivrant qui émanait d'elle.

Ne l'écoutant plus que d'une oreille distraite, il se leva et arpenta la véranda.

— N'est-il pas l'heure d'aller chercher Jacob à la crèche ?

— Non, pas encore, répondit-elle, évidemment inconsciente du fait qu'il cherchait à se débarrasser d'elle. Il doit y rester jusqu'à midi.

Un mouvement à leur droite attira l'attention de Wade. A sa consternation, Cherie s'était levée et s'avançait dans leur direction, son chapeau à large bord menaçant de s'envoler dans la brise qui annonçait une giboulée.

— Wade Matteo, susurra-t-elle en montant sur la terrasse, j'attendais un coup de téléphone de votre part !

Elle eut un haut-le-corps à la vue de Geneva, la détailla rapidement des pieds à la tête, puis, rejetant en arrière sa crinière de fausse blonde, reporta toute son attention sur Wade.

— Vous m'évitez, goujat !

Geneva bondit sur ses pieds, les doigts crispés sur le livre qu'elle tenait.

— Je pense que notre réunion est terminée, dit-elle à Wade. Je vous rappellerai dès que j'aurai fait quelques croquis.

Son ton était détaché, et il comprit qu'elle souhaitait donner l'impression que leur relation était purement professionnelle. Il lui sourit, devinant à son regard qu'elle avait été blessée par la désinvolture de Cherie. Il ne pouvait la laisser partir ainsi, songea-t-il en glissant une main sous son bras pour l'empêcher de s'échapper.

— Cherie, permettez-moi de vous présenter ma voisine, Geneva Jensen.

La femme la considéra froidement.

— Enchantée, dit-elle d'un ton qui démentait ses paroles.

Elle se retourna vers Wade et mit la main sur son bras, parlant à mi-voix.

— J'ai refusé deux invitations au bal dans l'espoir que vous alliez m'inviter.

Elle lui décocha un sourire éclatant de ses lèvres vermillon, et Wade retint un mouvement instinctif de recul tandis qu'elle posait familièrement une main sur son autre bras. Il avait eu l'intention de l'inviter, et c'était certainement la meilleure chose à faire. Elle ne lui refuserait rien. Pourtant, l'idée de passer une soirée entière en tête à tête avec elle le déprimait.

Mais il ne s'agissait pas seulement de ses désirs, songea-t-il, se forçant à répondre avec courtoisie.

— C'est une suggestion des plus tentantes...

Geneva s'éclaircit la gorge.

— J'ai été ravie de vous rencontrer.

Elle se dégagea, prête à s'éloigner, mais Wade la retint, passant impulsivement un bras autour de sa taille.

— ... cependant, Mme Jensen m'a déjà demandé de l'accompagner.

Geneva en eut le souffle coupé.

— Je ne vais pas...

— ... céder votre place ?

Il lui adressa un sourire menaçant et la pressa étroitement contre lui. Cherie avait reculé d'un pas, visiblement mortifiée.

— Vous voyez, elle ne renoncera pas.

Atterrée, Geneva se tortilla en vain contre lui. Elle aurait dû savoir qu'il exigerait d'elle une faveur inacceptable ! Il fallait qu'elle fuie ce guêpier sans attendre, avant que les rumeurs se mettent à aller bon train. Elle ouvrit la bouche, mais Cherie la devança.

— Elle ne ressemble pas à vos conquêtes habituelles, dit-elle à Wade d'un ton méprisant.

Une lueur amusée jaillit dans les yeux de celui-ci.

— Elle n'a rien d'habituel, déclara-t-il.

La femme pivota sur ses talons et se détourna majestueusement, non sans avoir lancé un avertissement à Geneva :

— Mieux vaut que vous soyez prévenue, mon chou. Il ne désire qu'une seule chose. Et, à vrai dire, vous ne me semblez guère à même de le satisfaire.

4.

— Eh bien, merci ! siffla Geneva une fois Cherie disparue. Dès que toute la ville saura que je vous accompagne à ce bal — ce que je ne compte absolument pas faire, d'ailleurs — je n'aurai plus aucune chance de rencontrer un homme bien.

Elle se mordit la lèvre, regrettant aussitôt de l'avoir insulté par cette remarque involontaire. Mais il choisit de ne pas relever ses paroles, et elle se tut, résolue à oublier la méchante remarque de Cherie.

Sans doute cette dernière n'avait-elle pas tort, songea-t-elle avec amertume. Comment pourrait-elle satisfaire un homme comme Wade ? Elle n'avait pas même réussi à satisfaire Leslie ; cela avait d'ailleurs été l'excuse qu'il avait invoquée pour justifier d'avoir dépensé leurs économies en cadeaux et voyages pour sa maîtresse. A ce souvenir, Geneva sentit ses lèvres trembler, et les derniers vestiges de son assurance la déserter.

— Allons, allons, ce n'est pas si grave, fit Wade en passant un bras autour de ses épaules.

Elle tressaillit, troublée par la chaleur qui émanait de son corps, et le contact de ses muscles puissants.

50

Ce n'était qu'un geste de réconfort, rien de plus, se raisonna-t-elle.

— Quand on vous aura vue au bal, continua-t-il, vous ne manquerez pas d'invitations, je vous assure.

— C'est là le problème.

Elle tenta de se dégager, mais il la serrait contre lui, si proche qu'elle sentait son souffle sur ses cheveux.

— Les hommes qui me demanderont de sortir après m'avoir vue avec vous sont précisément ceux que je souhaite éviter.

Elle s'interrompit, consciente qu'elle venait une fois de plus de faire preuve de maladresse.

— Pardon, souffla-t-elle. Je ne voulais pas vous offenser.

— Vous ne l'avez pas fait, répondit-il, si vite qu'elle se demanda s'il disait vrai. Accompagnez-moi au bal, et je vous promets que je me ferai pardonner d'avoir gâché votre rendez-vous avec Ellis.

— C'est inutile. Je me débrouillerai seule.

— Vous m'avez promis une faveur, insista-t-il.

— C'est ridicule ! Je ne vous dois rien. A moins que vous n'ayez déjà oublié la crème glacée que vous avez donnée à mon fils pour qu'il la renverse sur ce pauvre Elvis... je veux dire Ellis ?

Seigneur ! Voilà qu'elle se trompait de nom à présent. Aucun doute, elle était troublée... comme toujours quand elle était en présence de son propriétaire.

— Je ne lui ai pas dit de la jeter sur les genoux du pasteur, protesta Wade. Il y a pensé tout seul.

Au sourire qui perçait dans sa voix, elle devina qu'il n'était pas exactement torturé par les remords.

— D'ailleurs, je me suis racheté en vous engageant pour confectionner les uniformes de mon personnel.

— Oublions toute l'affaire, voulez-vous ?

Il la lâcha, et, au grand dam de Geneva, la distance qui les séparait à présent lui parut immense. Elle eut soudain l'impression d'être infiniment seule, encore plus seule que le jour où Leslie l'avait quittée en emportant ses espoirs, ses rêves et son argent.

— Pas question, dit-il. Nous avons conclu un marché, et nous allons l'honorer. Quand je fais une promesse, je la tiens. Vous m'accompagnerez au bal, et, pour vous témoigner ma gratitude, je vous présenterai à un médecin charmant. Très respecté et très aimé de tout le monde.

— Un médecin ?

Le rendez-vous avec Ellis s'était soldé par un échec parce qu'elle avait fait l'erreur de l'inviter chez elle, songea Geneva. Peut-être les choses se seraient-elles déroulées différemment s'ils s'étaient rencontrés en terrain neutre ? Quoi qu'il en soit, conclut-elle, il aurait été stupide de rejeter la nouvelle proposition de Wade.

— Un pédiatre, confirma-t-il avec un large sourire. Retrouvez-moi ici à midi samedi. Je vous le présenterai.

La tentation était trop forte pour qu'elle y résiste. Elle se remémora les paroles de Wade. Un homme aimé et respecté dans la ville, membre du Country Club, pédiatre de surcroît. Que pouvait-elle désirer de plus ?

— Est-il séduisant ? demanda-t-elle en rougissant.

— C'est un vrai Cary Grant.

Ses dernières réticences s'évanouirent. Face à une telle perspective, elle aurait accepté un rendez-vous avec le

52

diable en personne... ce qu'elle venait précisément de faire, d'ailleurs.

Un diable aux yeux verts et pétillants, qui lui tendait la main pour conclure le marché.

Geneva rangea l'aspirateur dans le placard et se retourna, jetant un coup d'œil approbateur sur son travail. La chambre qu'elle avait décorée avec soin était chaleureuse et gaie, et elle était sûre que Jacob s'y sentirait bien. Elle avait eu plaisir à confectionner le dessus-de-lit et l'abat-jour assorti. Un jour, peut-être, elle ferait de même dans une maison qui lui appartiendrait...

Elle traversa lentement la pièce, contemplant le tapis qu'elle avait tissé à l'époque où elle était enceinte de son fils. Cela avait été une des périodes les plus heureuses de sa vie. Avec un peu de chance, elle aurait d'autres enfants, et Jacob aurait de jeunes frères et sœurs. Un sourire éclaira son visage tandis qu'elle refermait la fenêtre. Auraient-ils les yeux marron comme Jacob et elle ? Ou bleus ?

... Ou verts comme les profondeurs de l'océan ?

Terrifiée, Geneva repoussa immédiatement la vision soudaine qui s'était imposée dans son esprit.

Non. Wade Matteo n'était pas l'homme qu'il lui fallait, se répéta-t-elle fermement en sortant de la pièce.

Mais où donc était passé Jacob ? Il avait parlé d'aller regarder des dessins animés ; or, le salon était désert et la télévision éteinte. Etait-il allé goûter dans la cuisine ? Geneva consulta sa montre. Pour rien au monde Jacob n'aurait manqué Bugs Bunny, pas même pour une friandise.

Elle gagna la cuisine en hâte. Aucune trace de Jacob. Ni là, ni dans la salle de bains. Une boule de panique se forma dans sa gorge.

— Il a dû se cacher, dit-elle tout haut, comme pour se persuader. Jacob ? Où es-tu, mon chéri ?

Geneva vérifia toutes les pièces, examinant coins et recoins, jusqu'à la corbeille à linge. Où pouvait-il être ? Jacob était si obéissant d'ordinaire...

Elle se remémora les événements de la matinée, s'efforçant de se rappeler tout ce qui s'était passé au cours des derniers instants quand elle pensa brusquement à Sean. Ce dernier devait être en train de tondre la pelouse car elle pouvait entendre le ronronnement du moteur par la fenêtre ouverte.

Oh, non ! Jacob avait-il voulu aller le rejoindre ? Etait-il tombé par la fenêtre pendant qu'elle était en train de ranger l'aspirateur ?

Gagnée par la panique, elle se pencha au-dehors. Sean s'était éloigné, et elle l'apercevait sous un bouquet d'érables. A quelques mètres de là se trouvait le lac qui séparait la propriété de Wade du terrain de golf. A sa gauche, la passerelle qui reliait les deux lui fit l'effet d'un aimant. Jacob avait-il... ?

Le cœur battant, Geneva sentit la nausée l'envahir. Elle prit une profonde inspiration, tentant de maîtriser son angoisse.

— Jacob ? cria-t-elle d'une voix tremblante, couverte par le bruit de la tondeuse. Jacob !

Elle traversa l'appartement en courant. Sans même frapper à la porte de Wade, elle fit irruption chez lui et gagna l'entrée, criant automatiquement son nom au passage dans l'espoir qu'il l'aiderait à chercher son fils.

54

— Oui ? répondit-il.

Sa voix venait d'une des chambres, et, en un éclair, Geneva fit volte-face. Dans sa précipitation, elle trébucha sur le tapis, se tordit la cheville et retint un cri.

— Wade !

— Je suis là.

Elle suivit la direction de sa voix, ignorant la douleur. Les mots jaillirent de sa bouche avant même qu'elle ait atteint la pièce.

— C'est ma faute, gémit-elle. J'ai laissé la fenêtre ouverte, et maintenant Jacob est...

Elle s'interrompit net sur le seuil.

Une vague de soulagement la submergea à mesure que son cerveau enregistrait la scène. Wade et Jacob étaient étendus sur le lit, tels deux lions après un festin, chacun adossé à plusieurs coussins, la télécommande et une boîte de biscuits vide entre eux. Comme Wade, son fils avait croisé les bras derrière sa nuque, et était entièrement absorbé par les aventures de Bugs Bunny à la télévision.

Le regard rivé à l'écran, Wade leva une main.

— Juste une minute. C'est le meilleur moment.

Stupéfaite, Geneva les dévisagea sans comprendre, tandis qu'ils éclataient de rire ensemble.

— Tu as vu ça ? s'exclama Wade à l'intention de son nouvel ami.

Jacob sourit et acquiesça, visiblement ravi.

— Je t'ai cherché partout ! s'écria Geneva en se précipitant vers lui pour le prendre dans ses bras. Je t'en prie, ne t'en vas pas sans me demander la permission d'abord. Tu aurais pu être blessé et je n'aurais pas su où te chercher.

Il gigota, mais elle ne lâcha pas prise, encore en proie à l'émotion. Ce fut seulement quand Jacob laissa échapper un cri qu'elle le libéra et se tourna vers son compagnon, qui, télécommande en main, avait entrepris de baisser le volume de la télévision.

— Je l'ai cherché partout, répéta-t-elle, alors que les larmes lui venaient aux yeux.

Elle les essuya d'un revers de main.

— Je pensais qu'il était peut-être sorti et tombé dans le…

Elle désigna d'un geste l'arrière de la maison, et un sanglot lui échappa.

— … dans le lac.

— Chut ! fit Jacob, pressant un doigt à ses lèvres avant de se rapprocher de l'écran.

— Oh, Gen, je suis désolé.

Wade fut près d'elle en un instant. Il prit ses mains dans les siennes.

— Jacob m'a dit que vous travailliez. J'ai cru que vous l'aviez envoyé chez moi pour être plus tranquille.

Elle secoua la tête.

— Je ne ferais jamais une chose pareille !

Wade accentua sa pression sur ses doigts.

— Vous ne l'enverriez jamais chez moi ? dit-il d'une voix tendue.

Geneva renifla. Il était évident que Jacob aimait bien Wade. Son fils était bien trop jeune pour comprendre que le mode de vie de leur propriétaire n'avait rien de recommandable. Tout ce qu'il savait, c'était que Wade était prêt à jouer avec lui, distribuait généreusement ses bonbons, et lui accordait plus d'attention que son propre

56

père ne l'avait jamais fait. Quoi de plus normal qu'il se plaise en sa compagnie ?

Et voilà qu'elle avait offensé Wade de nouveau. Il avait seulement essayé de lui rendre service, et c'était ainsi qu'elle le remerciait. La petite lueur espiègle de son regard avait disparu, remplacée par... quoi, au juste ? De la déception ? Du regret ?

— Je voulais dire que je ne me débarrasserais pas de mon enfant comme cela, surtout sans vous l'avoir demandé d'abord.

Son visage s'éclaira. Il s'installa tout près d'elle, prenant la place laissée vacante par son fils.

— Jacob est toujours le bienvenu s'il veut venir voir les dessins animés du samedi matin avec moi.

Il tendit la main vers elle pour replacer une mèche folle, laissant son doigt suivre le contour de sa joue avant de lui soulever doucement le menton.

— Vous aussi, d'ailleurs.

Rauque et sensuelle, sa voix contenait un monde de promesses. Malgré elle, Geneva s'imagina adossée aux oreillers du grand lit, avec lui et Jacob, partageant du pop-corn et des rires. Comme une vraie famille. Comme la famille qu'elle avait rêvé d'avoir avec Leslie.

Mais ce n'était pas possible.

Pas avec Wade.

Refoulant ses pensées, elle se fit violence pour retourner à ce qui l'avait amenée ici en premier lieu. Son cœur battait toujours à tout rompre.

— La prochaine fois qu'il regarde des dessins animés ici, dit-elle, parlons-en avant. Je n'ose pas imaginer ce qui aurait pu arriver...

Sa voix se brisa. Elle était incapable de formuler tout haut la terreur qu'elle avait ressentie. Jacob était tout pour elle. Les larmes aux yeux, la gorge nouée, Geneva comprit qu'elle allait éclater en sanglots. Elle voulut prendre une inspiration, maîtriser l'émotion qui l'envahissait, mais le stress des derniers mois, le divorce, le déménagement, la cohabitation forcée avec un homme de réputation douteuse, la disparition de Jacob, et, à présent, une douleur lancinante à la cheville eurent raison de ses efforts.

— Allons, allons, c'est fini, murmura Wade en l'attirant contre lui.

Blottie entre ses bras puissants, la tête contre son épaule, Geneva s'abandonna et fondit en larmes, évacuant toute la tension, toute la détresse des semaines écoulées.

— Je suis tellement... gênée..., hoqueta-t-elle au milieu de ses sanglots.

Wade lui caressa les cheveux, ses doigts s'attardant longuement sur sa tempe. Geneva ferma les yeux, savourant la chaleur de sa main sur sa joue. Instinctivement, elle noua les bras autour de son cou, cherchant dans ses caresses du réconfort au désarroi qu'elle éprouvait.

— Laisse-toi aller, dit-il doucement.

Il la tint serrée contre lui, murmurant des paroles apaisantes tandis qu'elle donnait libre cours à ses larmes.

Jacob se glissa doucement entre eux.

— Tu es triste, maman ? demanda-t-il d'une voix inquiète.

Geneva releva la tête, et tenta en vain de s'essuyer les yeux d'un revers de main.

— Non, mon chéri. Tout va bien maintenant.

Rassuré, l'enfant retourna s'asseoir au pied du lit et reporta son attention sur le dessin animé.

Wade ouvrit sa chemise et souleva un des pans du tissu pour lui essuyer les joues et les yeux. Geneva inspira son odeur masculine, légèrement teintée d'après-rasage, laissant son regard glisser sur le torse bronzé.

— Merci.

Elle ferma les yeux, replaçant le tissu sur sa peau nue, sans pouvoir détacher ses pensées du corps athlétique et musclé tout près du sien.

— Tu peux le tromper, souffla Wade, mais moi pas.

Il plongea son regard dans le sien, lisant en elle comme dans un livre ouvert. Il avait raison, bien sûr. Elle avait beau chercher à dissimuler ses angoisses et ses incertitudes derrière une façade de compétence et d'efficacité, il l'avait percée à jour. Et pourtant, il la regardait avec une intensité, une faim qu'un poulet à la romaine tout entier n'aurait jamais pu combler.

Elle redressa le menton, essayant de toutes ses forces de se donner une contenance, de prétendre que tout allait bien. Que tout irait bien. Que ses larmes n'étaient qu'une aberration passagère. Mais il avait déjà deviné le vide qui habitait son cœur.

Il se pencha vers elle. Geneva n'eut ni le temps ni la présence d'esprit de résister. Quand les lèvres de Wade se posèrent sur les siennes, elle oublia tout le reste.

Il l'enlaça, et Geneva se pressa contre lui, passant les bras autour de ses épaules solides. Les mains de Wade descendirent sur sa poitrine, effleurant ses seins. Une onde de plaisir la traversa des pieds à la tête, et elle retint son souffle tandis qu'il l'embrassait de nouveau, lentement, tendrement, donnant plus qu'il ne prenait.

Sa bouche était douce et chaude et son contact bouleversa Geneva. Pour la première fois de sa vie, elle se sentait désirée... aimée. Loin de la combler, l'étreinte éveillait un besoin enfoui au plus profond de son être.

Une bouffée de désir monta en elle, et elle lui rendit son baiser avec une passion qui la surprit. Elle brûlait de lui retirer sa chemise, de le toucher, de promener les doigts sur sa poitrine. Son corps l'appelait... et son cœur le suppliait de la prendre et de la faire sienne.

Levant les yeux vers lui, elle lut dans les profondeurs vertes de son regard une brève et poignante tristesse avant que son visage se ferme brusquement.

Il se dégagea et rajusta sa chemise.

— Je suis désolé, dit-il en se redressant.

Brutalement ramenée à la réalité, elle lissa ses cheveux, jetant un coup d'œil vers son fils qui n'avait pas changé de position devant le poste de télévision.

Comment avait-elle pu se conduire ainsi ? Avec Wade ! Et sur son lit ! Elle frémit en songeant à la réputation qui la précéderait si jamais son fils racontait innocemment que Wade et elle s'étaient embrassés au lit.

Lui tournant le dos, Wade se dirigea vers le placard et en tira des vêtements propres. Il n'arrivait pas à comprendre ce qui lui était arrivé, comment il avait pu embrasser Geneva de la sorte. Son instinct ne l'avait-il pas averti de garder ses distances ?

Mais il n'avait pu s'empêcher de la réconforter, pas plus qu'il n'avait pu s'empêcher de goûter les délicieuses lèvres roses qui le tentaient depuis le premier jour.

Malheureusement, cette étreinte éphémère n'avait fait que renforcer le désir que sa ravissante voisine faisait naître en lui. C'était comme une promesse... un avant-goût d'autres plaisirs, plus intenses, plus profonds... si seulement il voulait les embrasser.

Mais qu'avait-il à lui offrir en retour ? Bien moins que ce qu'elle désirait. Bien moins que ce qu'elle méritait. Il vaudrait mieux, pour eux deux, qu'il s'abstienne de la toucher. Et le meilleur moyen d'y parvenir était de lui trouver un compagnon. De la mettre hors d'atteinte.

Wade jeta les vêtements sur le lit, conscient qu'il devait passer pour le parfait goujat. La dernière chose qu'il voulait était de la faire souffrir, mais il ne pouvait lui faire espérer un avenir entre eux.

Il devait respecter son vœu de rester célibataire.

Et lui épargner la détresse qui s'ensuivrait si elle s'attachait à lui.

— Si tu veux faire la connaissance de ce médecin, dit-il d'une voix qui lui parut anormalement sèche, mieux vaut que nous partions bientôt... avant de faire quelque chose que nous pourrions regretter par la suite.

Geneva ne put réprimer une légère déception à la vue de l'homme à lunettes qui les attendait sur la terrasse. Il ne ressemblait en rien à Cary Grant, constata-t-elle, tout en se reprochant d'attacher tant d'importance aux apparences.

— Enchanté de faire votre connaissance, dit-il en se levant pour les accueillir. Asseyez-vous, je vous en prie.

Après avoir aidé Jacob à s'asseoir, elle prit place à côté de lui tandis que Wade s'installait sur la dernière chaise disponible, en face d'elle.

— Geneva, voici le Dr Grant, fit Wade en souriant. Il a un cabinet dans Derwent Avenue.

Geneva écarquilla les yeux.

— Docteur *Grant* ? Votre prénom serait-il Cary, par hasard ?

Avec un sourire, il rajusta ses lunettes épaisses sur son nez.

— Carrington, à vrai dire, mais tout le monde m'appelle Cary.

Geneva coula un regard en biais à Wade, agacée qu'il l'ait délibérément induite en erreur, mais une serveuse apparut avant qu'elle ait le temps de faire le moindre commentaire. Wade commanda trois Coca.

— En général, je n'autorise pas Jacob à boire du Coca, dit-elle froidement. La caféine l'empêche de dormir.

Wade ne parut pas s'émouvoir de la critique, et donna une bourrade amicale à Jacob.

— Oh, pour une fois ! Cela ne lui fera pas de mal !

Elle se tourna vers le médecin, espérant qu'il prendrait son parti, mais celui-ci se contenta de hausser les épaules d'un air d'excuse.

— Il a raison. Une fois n'est pas coutume.

Wade se laissa aller sur son siège avec un léger sourire.

— Pourquoi ne pas montrer ta cheville au Dr Grant ? Il aura peut-être une suggestion.

Le médecin prit l'expression attentive qu'il devait réserver à ses patients.

— Qu'avez-vous fait ? J'ai remarqué que vous boitiez un peu.

Génial, songea Geneva. Il allait sans doute croire qu'elle voulait une consultation gratuite.

— Oh, ce n'est rien. J'ai dû faire un faux mouvement.

Par chance, il n'insista pas. Si elle voulait avoir une chance de développer des relations avec cet homme — ou n'importe quel homme, d'ailleurs — il lui fallait d'abord écarter Wade, se dit-elle.

Et vite.

— On n'a pas besoin de tes services sur le terrain de golf ? demanda-t-elle. Ou sur les courts de tennis ?

Il sourit, mais ne fit pas mine de bouger.

— Non. Mes employés sont capables de gérer le club sans m'appeler au secours sans arrêt, répondit-il. Ce qui me convient parfaitement, puisque cela me donne plus de loisirs.

Geneva n'osait même pas imaginer le genre de loisirs qu'il avait en tête. La serveuse arriva avec leur commande, et Jacob but goulûment son Coca, le vidant aux trois quarts avant que Geneva mette le verre hors de sa portée. Il fit une grimace.

— J'ai mal au ventre.

— Arrête de gigoter sans cesse.

Son fils obéit, échangeant un regard inquiet avec Wade tandis que Geneva réfléchissait. Elle avait essayé de faire bonne impression sur Ellis Tackett, et cela ne l'avait menée à rien. Peut-être devait-elle adopter une approche différente cette fois et tenter de déterminer si cet homme méritait son attention ?

En tant que pédiatre, il devait aimer les enfants, raisonna-t-elle. Encore fallait-il qu'il trouve son fils sympathique. Si elle essayait de les faire entrer en conversation…

— Jacob, si tu racontais au Dr Grant ce que tu as fait à la crèche hier ?

L'enfant ouvrit la bouche pour parler, laissant échapper un énorme rot digne d'un buveur de bière.

— Jacob ! s'écria Geneva, consternée.

Il posa une main sur son estomac.

— Ça va mieux, maintenant.

Heureusement, le médecin ne parut pas choqué outre mesure. Dans son travail, il devait voir bien pire, se consola-t-elle. Wade, quant à lui, ne dissimula pas son amusement.

— Au moins six sur l'échelle de Richter !

Geneva lui décocha un regard noir.

— Tu es sûr que tu n'as rien d'autre à faire ?

— Je suis libre comme l'air ! protesta-t-il avec un grand sourire.

Cependant il se pencha et termina son verre, puis le reposa d'un air décidé.

— Si j'emmenais Jacob faire un tour pendant que vous faites connaissance ?

Embarrassée, Geneva baissa les yeux sur ses genoux. Il était pratiquement en train de forcer la main de cet homme pour qu'il l'invite à sortir avec lui !

— Je ne suis pas sûre que ce soit une bonne idée, rétorqua-t-elle sur un ton glacial.

— Au contraire, intervint le Dr Grant, j'étais justement en train de penser à la même chose.

— Tu vois ? fit Wade avec un sourire triomphant. Tout s'arrange ! Tu n'as plus qu'à lui préparer ton fameux poulet à la romaine...

Geneva hésita, ne sachant que dire. Elle n'avait pas la

64

moindre intention d'inviter Cary Grant chez elle et de risquer une répétition du fiasco de l'autre jour.

— A vrai dire, intervint ce dernier, nous pourrions aller dîner chez *Cassidy*, à la sortie de la ville. Ils ont même un orchestre. Qu'en dites-vous ?

— Ce serait charmant.

Wade fronça les sourcils.

— Je ne sais pas, dit-il. C'est un endroit...

— ...parfait, j'en suis sûre ! coupa Geneva sur un ton qui ne souffrait pas de réplique.

— Excellent, conclut le docteur en lui tendant sa carte. Je dois me rendre à une convention ce week-end, mais nous pourrions peut-être sortir au début de la semaine prochaine ?

— Avec plaisir, répondit-elle, ignorant le regard sombre que Wade lui lançait.

5.

Geneva tira la chaise longue sous la fenêtre de la chambre de Jacob et s'y laissa tomber, contemplant l'étoile solitaire qui brillait faiblement dans le ciel. Jacob dormait depuis près d'une heure et ne se réveillerait sans doute pas avant le matin, mais elle voulait pouvoir l'entendre au cas où.

Elle ferma les yeux un instant, cherchant pour la centième fois à s'expliquer les événements de la journée. Pourquoi s'était-elle abandonnée au baiser de Wade ? Mais quoi d'étonnant à ce qu'elle ait été si troublée ? N'était-il pas un play-boy professionnel ?

Elle avait été surprise par l'émotion qu'elle avait lue dans son regard. Il avait été affecté par leur étreinte, elle en était certaine. La brusquerie dont il avait fait preuve ensuite la déroutait. S'imaginait-il qu'elle avait provoqué le baiser ? C'était une idée ridicule, mais il avait vraiment paru fâché. Et bien décidé à la jeter dans les bras du docteur.

Le son d'une guitare s'éleva à l'autre bout du lac, dominant les stridulations des criquets et les coassements des grenouilles, et une voix de soprano flotta jusqu'à elle, légère, mélodieuse. Tournant la tête dans la direction d'où venait la musique, Geneva remarqua un petit groupe rassemblé au bord de l'eau. Un mariage, songea-t-elle en admirant avec une soudaine mélancolie le couple illuminé par les lanternes japonaises. Un instant, elle s'imagina à la place de la mariée aux cheveux blonds et à la robe en dentelle, l'homme de sa vie à ses côtés.

Si seulement ses vœux étaient exaucés ! pria-t-elle en regardant l'étoile qui scintillait au-dessus d'elle. Le Dr Grant était-il l'homme idéal ?

Un bruit de pas mit fin à sa rêverie.

— Je pensais bien te trouver ici, fit Wade en approchant une chaise de la sienne. Je parie que tu rêves du jour où tu descendras les marches du parvis au bras du Prince charmant !

Geneva laissa échapper un petit bruit dédaigneux.

— Toutes les femmes ne sont pas aussi sentimentales !

— Peut-être que non, mais toi si, dit-il, très sûr de lui.

Elle se tourna vers lui et regretta immédiatement de l'avoir fait. Dans la pénombre, il était plus beau, plus attirant, plus dangereux que jamais.

— Tu généralises, sans doute parce que tu as une peur irrationnelle de t'engager.

— Il n'y a rien d'irrationnel dans mon choix de rester célibataire. Et, quoi que tu en penses, la notion d'engagement n'a rien à voir avec ma décision.

Elle le dévisagea longuement et était sur le point de lui demander ce qu'il voulait dire par là, mais il l'interrompit en lui tendant un morceau de papier.

— Je t'ai trouvé une cliente. Elle a réservé la salle de réception pour son mariage le mois prochain car son fiancé vient d'avoir une promotion qui les oblige à partir en Europe immédiatement après. Elle cherche désespérément une modéliste prête à travailler dans des délais aussi courts.

— Merci, dit-elle, réprimant l'envie d'aller téléphoner sur-le-champ.

— Tu n'as pas besoin de l'appeler ce soir, dit-il comme s'il avait lu dans ses pensées. Tu peux finir ton rêve.

— Si tu tiens à le savoir, fit-elle, je veux me marier en plein jour. Mon futur mari et moi entrerons dans le mariage les yeux grands ouverts.

Pas comme lors de son premier mariage. Cette fois, elle saurait qui elle épousait.

— Intéressant. Je suis loin d'être un expert en la matière, mais je pensais que c'était au cours du mariage qu'on apprenait à se connaître vraiment.

— Peut-être, admit-elle, mais certaines découvertes peuvent être désagréables, voire fatales pour un mariage. Je pense qu'il faut être totalement honnête l'un avec l'autre de manière que les deux personnes prennent leur décision en toute connaissance de cause.

Wade se releva brusquement et se mit à arpenter la véranda. Quand il s'immobilisa enfin, il s'accouda à la rambarde, les yeux fixés sur l'appartement de son frère, déjà plongé dans l'obscurité, car Sean aimait se coucher tôt et se lever à l'aube. Geneva suivit son regard, intriguée.

— Quelquefois, il y a des choses qu'on ne peut pas dire avant… des choses qu'on ignore et qu'on ne découvre que trop tard, quand les enfants sont nés.

Il poussa un soupir.

— Et la vie en est changée à jamais.

Un long silence s'installa entre eux. Wade demeurait une énigme, songea Geneva. Ses opinions sur la fidélité et le mariage lui étaient incompréhensibles. Sans doute ses convictions étaient-elles enracinées dans son passé, et elle n'avait pas la moindre intention de se montrer indiscrète en lui posant des questions qui ne la regardaient pas.

En revanche, il y avait une question qui les concernait tous les deux et qu'elle avait grand besoin de clarifier.

— A propos de ce matin... commença-t-elle.

Il se redressa et lui fit face.

— Si c'est au sujet de Jacob, je suis désolé. J'ignorais que le Coca l'exciterait tellement qu'il ne pourrait pas faire sa sieste.

— Il ne s'agit pas de cela. Je parlais de ce qui s'est passé entre nous. Entre toi et moi.

Il se détendit, et fit mine de jeter un coup d'œil à gauche, puis à droite.

— Ah ! ça, dit-il en souriant. Ne me dis pas que ton père me cherche, une carabine à la main.

Geneva se releva à son tour, ignorant les élancements douloureux qui lui traversaient la cheville.

— Je veux juste éclaircir un point. Après que tu m'as embrassée, tu as agi comme si c'était moi qui... qui avais commencé, accusa-t-elle sur un ton indigné.

Il lui décocha un sourire espiègle.

— Ce ne serait pas la première fois que cela m'arrive.

— Tu es arrogant, vaniteux...

— ... volage, décadent ?

— ... insupportable...

— ... mais adorable.

— ... et menteur ! C'est toi qui m'as embrassée !

— Si c'est ce que tu veux dire à tes amis, ne t'inquiète pas, je ne te contredirai pas.

Geneva s'exhorta au calme et prit une profonde inspiration. Après quoi elle lança sa dernière flèche.

— Et cela t'a plu.

Qu'il ose le nier !

Il s'avança vers elle, rétrécissant l'espace entre eux. Geneva réprima l'envie de battre en retraite.

— Quoi que tu t'imagines, affirma-t-il d'une voix rauque, je ne faisais qu'essayer de réconforter une amie bouleversée.

Il plongea son regard dans le sien.

— Je suis désolé si cela te déçoit, mais c'est la vérité.

Sans prêter attention à ses paroles, Geneva répéta les siennes, pointant un doigt vengeur sur sa poitrine en même temps.

— Cela t'a plu !

Avant qu'elle ait eu le temps de réagir, il avait capturé sa main et la retenait prisonnière contre sa poitrine. Elle sentait son cœur battre sous ses doigts.

— Tu crois aux contes de fées et tu es trop romantique.

— Je crois aux mariages heureux, c'est vrai, admit-elle, mais cela n'a rien à voir avec ce qui s'est passé entre nous ce matin.

Il lui caressa lentement les doigts, et Geneva retint son souffle, s'efforçant d'ignorer la douce chaleur qui se répandait en elle.

— Je pense seulement que nous devrions voir les choses en face pour ne pas avoir... euh... d'autres problèmes.

— La vérité est rarement telle qu'on la voit, fit-il avec assurance. Tu t'es trompée.

— Non.

Elle savait ce qu'elle avait vu, et ce qu'elle avait ressenti, même si elle n'allait pas le lui avouer. Certainement pas. Pas alors qu'elle était si proche de lui.

— Veux-tu une preuve ? demanda-t-il en l'enlaçant. Veux-tu que je te montre que tu t'es fait des idées ?

Sans attendre la réponse, Wade enfouit ses mains dans les boucles brunes, lui soulevant doucement le menton pour approcher son visage du sien. Il savait qu'il était fou de s'aventurer sur un territoire aussi dangereux, mais il avait quelque chose à prouver... à lui-même autant qu'à elle.

A la seconde où il se pencha sur elle, il sut qu'il avait commis une erreur. Les lèvres douces de Geneva s'entrouvrirent légèrement, l'invitant à prendre possession de sa bouche au goût de miel. Un soupir lui échappa, et le baiser de Wade se fit plus intime, plus profond. Il était perdu en elle, perdu dans un rêve qu'il ne pourrait jamais réaliser. Et cette certitude le glaçait, créant un vide inconnu et terrifiant dans son cœur.

Cela n'était pas censé lui arriver. Il n'était pas censé éprouver tant de plaisir à tenir entre ses bras la seule femme au monde capable de le faire souffrir. Une femme dont il briserait le cœur parce qu'il ne pouvait lui offrir ce qu'elle désirait.

Il devait mettre fin à cette folie. Arrêter avant qu'il soit trop tard pour l'un ou l'autre. A regret, il se dégagea, détournant les yeux avant qu'elle ait pu lire dans son regard.

Trop tard.

— J'avais raison, murmura-t-elle. Tu désires le conte de fées autant que moi.

Wade recula comme si elle l'avait frappé.

— Non !

Il lui tourna le dos pour l'empêcher de découvrir le mensonge qu'il racontait à tous, y compris à lui-même, depuis des années. Le regard sur le couple de l'autre côté du lac, il reprit :

— Si j'avais désiré cela, c'est moi qui serais là-bas, aux côtés de la mariée.

Geneva s'approcha et s'accouda à la rambarde. Trop près. Mais il se força à ne pas bouger.

— Que s'est-il passé ? demanda-t-elle doucement.

— N'insiste pas, veux-tu ?

Elle ne répondit pas, et il se résigna à lui donner l'information qu'elle voulait. Peut-être cela lui ferait-elle comprendre qu'ils ne partageaient pas les mêmes désirs ?

— Elle croyait que mes baisers avaient de l'importance. J'ai rompu.

Geneva le dévisagea. Peut-être avait-elle été naïve de penser qu'ils pouvaient mettre cartes sur table, analyser leur attirance réciproque, trouver un moyen de neutraliser la tentation avant que celle-ci ne devienne trop forte. Il était clair qu'il n'était pas honnête avec lui-même, et il n'allait certainement pas l'admettre. Tant pis, songea-t-elle, cela ne l'empêcherait pas de lui dire ce qu'elle pensait.

— Tu te mens à toi-même...

Les mains de Wade se posèrent sur ses épaules. Ses traits reflétaient une intensité inouïe.

— Tu crois que je mens parce que je ne te dis pas ce que tu as envie d'entendre, asséna-t-il. La plupart des hommes font semblant. Je nous rends un service à tous les deux en te disant que je ne suis pas l'homme que tu cherches.

Puis, d'une voix presque inaudible, comme pour lui-même, il ajouta :

— Je ne peux pas t'aimer comme tu as besoin d'être aimée.

L'amour ? Qui donc avait parlé d'amour ?

— Je n'ai jamais dit que…

— Et pendant que tu m'écoutes, laisse-moi te donner un conseil. Ne te laisse pas impressionner par un beau parleur. Tu dois t'assurer que ton prétendant remplit tes critères, pas seulement le croire sur parole, comme tu l'as fait avec ton ex.

Il déposa un léger baiser sur ses lèvres.

— Il serait dommage de perdre ton temps avec un homme qui ne te convient pas.

Geneva repoussa son assiette en carton sur la table de pique-nique et ajouta un autre point à sa liste. Wade avait raison. Elle devait être prudente, et séparer le bon grain de l'ivraie. Si elle voulait avoir d'autres enfants, il n'y avait pas de temps à perdre.

— Encore un peu de salade de pommes de terre ? demanda Sean de sa voix hésitante.

Elle secoua la tête à regret.

— Elle est délicieuse, mais je ne pourrais pas avaler une autre bouchée, dit-elle en souriant. Merci, Sean, de nous avoir préparé ce superbe pique-nique.

Jacob mordit avec appétit dans sa saucisse et acquiesça. Sean sourit à Geneva.

— C'est grâce à vous et à vos conseils.

Elle le regarda, émue et fière de lui, comme s'il avait été son frère. Il travaillait dur, se donnant toujours du mal pour s'acquitter de ses tâches. Geneva fit mine de se lever pour l'aider à ranger.

— Restez là, ordonna-t-il avec un sourire adorable qui lui rappela son frère aîné. Vous êtes mon invitée à ce pique-nique. D'ailleurs, il faut que je m'exerce à ranger.

Elle lui rendit son sourire, amusée et touchée qu'il ait prêté attention aux remarques qu'elle lui avait gentiment faites concernant le désordre. Farouchement indépendant, il avait relevé le défi et s'était immédiatement attaqué au problème. D'ailleurs, il était bien trop obstiné pour se laisser limiter par sa condition physique.

Elle avait au moins un point commun avec Sean : même si sa vie ne ressemblait pas à ce qu'elle en avait espéré, elle ne se résignait jamais. Son avenir lui appartenait. L'important était de savoir ce qu'elle désirait. Et la première chose à l'ordre du jour était d'annuler sa sortie au bal avec Wade. Après tout, il lui avait lui-même conseillé de ne pas perdre son temps avec quelqu'un qui ne lui convenait pas.

Elle se leva et essuya les mains et la bouche de Jacob, tandis que Sean, ayant fini de débarrasser la table, allait s'installer dans une chaise longue au bord de l'eau.

Geneva alla chercher un plaid à l'intérieur, et le déplia sous un arbre avant de s'y asseoir avec Jacob, qui ne tarda pas à s'endormir. Geneva savourait le calme de ce dimanche après midi, observant le couple d'oiseaux occupé à apporter des provisions à leurs petits nichés dans la couronne, quand le grondement d'un moteur se fit entendre, suivi par un crissement de pneus sur le gravier.

Wade était de retour.

Un instant plus tard, il s'avançait vers elle, particulièrement attirant dans le pantalon gris qui moulait ses cuisses musclées. Si elle voulait rester concentrée sur le but qu'elle s'était fixé, songea Geneva, il serait sage de chasser les pensées de ce genre. Elle se hâta d'aller à sa rencontre, de peur que le son de leurs voix ne réveille Jacob.

— Ce n'était pas la peine de te déplacer, dit-il avec un sourire taquin. J'aurais été ravi de m'asseoir à côté de toi sur le plaid.

Elle se laissa tomber sur le banc.

— Pas très logique pour quelqu'un qui tient absolument à garder ses distances avec les femmes, commenta-t-elle.

— Distance émotionnelle, précisa-t-il en désignant son cœur. Je n'ai jamais rien dit à propos de distance physique.

Geneva se souvint des paroles qu'il avait prononcées la veille. Il avait affirmé être incapable de l'aimer comme elle avait besoin de l'être. Sans doute avait-il raison, après tout. Elle avait besoin non seulement de l'amour physique que Wade pouvait sans doute lui apporter, mais aussi d'un lien, d'une communion avec un homme qui la comprenne.

A sa consternation, il s'assit près d'elle sur le banc, se tournant pour lui faire face. Geneva eut soudain la bouche sèche, et lutta pour se souvenir de ce dont elle avait voulu lui parler.

Ah, oui. Le bal.

— Pour la semaine prochaine..., commença-t-elle, son regard s'égarant malgré elle sur le visage aux traits réguliers de Wade.

— Je voulais t'en parler, justement. Ce n'est la peine d'acheter une robe exprès pour l'occasion. Si tu as une robe noire toute simple, cela fera très bien l'affaire.

— Ce n'est pas vraiment le problème.

— Il y a un problème ?

Il paraissait stupéfait.

Geneva se recula aussi loin qu'elle le pouvait, et tripota nerveusement la chaîne en or qui pendait à son cou.

— Je ne pense pas pouvoir assister au bal, finalement...

Elle désigna sa jambe et eut une légère grimace.

— Ma cheville me fait encore un peu mal, et il est hors de question que je danse pour l'instant. Peut-être pourrais-tu inviter quelqu'un d'autre, pendant qu'il en est encore temps.

— Non, répondit-il fermement. Tu iras mieux samedi. Sinon, nous ne danserons pas, voilà tout. Ou bien nous nous limiterons aux slows.

Ce serait encore pire ! se dit Geneva, affolée à la pensée d'être entre ses bras, de sentir les muscles fermes de son corps contre le sien. Comment pourrait-elle alors se concentrer sur son objectif à long terme, autrement dit rencontrer le papa idéal ?

— Wade, tu m'as conseillé de ne pas perdre mon temps avec un homme qui n'est pas fait pour moi. Souviens-

76

toi de notre conversation d'hier soir. Je suis exactement comme cette mariée dont tu parlais...

Il la dévisagea, la mâchoire soudain crispée.

— Tu n'es pas du tout comme elle. Tu es indépendante, et elle...

Elle frappa du poing sur la table.

— Tu sais ce que je veux dire !

Pourquoi perdait-elle son temps à se quereller avec lui ? Après tout, elle n'avait pas besoin de son accord pour annuler leur sortie. Seulement, elle préférait qu'ils restent bons voisins.

— Pourquoi fais-tu cela ? demanda-t-elle. Pourquoi ?

Wade secoua la tête, mais soutint son regard.

— Je ne sais pas, avoua-t-il, tandis qu'elle lisait l'incertitude dans ses yeux verts.

Soudain, il se pencha vers elle, et lui effleura le bras, provoquant une onde de chaleur qui la traversa tout entière.

— Mais je sais que j'aime être avec toi.

Elle aussi, malheureusement.

Il l'attira à lui, et elle ne résista pas, pas même quand il se pencha pour l'embrasser. Au contraire, elle s'abandonna totalement, le laissant prendre ses lèvres, et voler son cœur...

Quand il la lâcha, Geneva demeura immobile, sous le choc. Quelques secondes s'écoulèrent, et puis Wade brisa le charme, lui caressant doucement la joue et les lèvres. Geneva tressaillit, revenant à la réalité. Maudit soit-il pour avoir tant d'emprise sur elle !

Un des oiseaux arriva à tire-d'aile, un insecte au bec. Geneva le suivit du regard, consciente qu'elle devait mettre un frein aux événements qui étaient en train de se produire entre eux. Elle avait passé une nuit blanche, torturée par le souvenir des baisers de Wade, rêvant malgré elle de ce qui aurait pu se passer.

— Je veux quelqu'un…, commença-t-elle, le cœur débordant du besoin qu'il avait fait naître… quelqu'un avec qui construire un foyer. Quelqu'un qui voudrait élever ses enfants. Nos enfants.

— Ne me regarde pas quand tu dis cela, fit-il en se détournant.

— Qui a dit que je te regardais ? D'ailleurs, tu ne corresponds pas à mes critères.

Et pourtant, leurs corps s'épousaient si bien, songea-t-elle au souvenir de la veille.

— Bon. Je suis soulagé. Tu ne remplis pas les miens non plus.

Une légère brise souleva le bout de papier sur lequel elle avait écrit un peu plus tôt, et il le rattrapa au vol.

— Qu'est-ce que c'est ?

Geneva tenta de le lui reprendre, mais il fut plus rapide qu'elle. Le tenant hors de sa portée, il plissa les yeux pour y lire les notes rédigées au crayon.

— Tu fais une liste des qualités de ton futur mari ?

— Donne-moi ça !

Il regarda le papier de plus près, et observa :

— Ce n'est pas un mari que tu cherches. C'est un père.

Il plongea son regard dans le sien, comme s'il la mettait au défi de le contredire. Certain qu'il ne comprendrait pas, Geneva garda le silence. Puis, au bout d'un moment, elle se ravisa.

— C'est ce que tu m'as dit de faire.

78

— Il manque quelque chose sur ta liste, dit-il doucement. Un homme qui va aimer et chérir la mère de ses enfants, quelqu'un que la mère peut aimer en retour.

Il marqua une pause, puis reprit :

— Quelqu'un qu'elle puisse aimer de tout son cœur. Une âme sœur.

Elle se tassa sur son siège, refusant d'admettre la vérité. Dans une situation idéale, il aurait été merveilleux de trouver une telle qualité. Mais la vie était une série de compromis. Et si elle devait en choisir un plutôt qu'un autre, elle opterait pour un homme qui soit un bon père pour son fils. Et qui lui donnerait d'autres enfants à aimer. Pour le reste, elle se contenterait d'affection et de respect mutuel.

Elle redressa le menton.

— C'est secondaire.

Wade émit un petit bruit dédaigneux.

— Et quels sont tes critères, je te prie ?

— Si je me marie un jour — ce qui est tout à fait improbable par ailleurs —, ce sera avec une femme de plus de quarante ans, dit-il en croisant négligemment les bras derrière la tête avant de la regarder en face. Une femme qui aura fini d'avoir tous les enfants qu'elle veut.

Autrement dit, certainement pas elle. Blessée, elle se leva et marcha de long en large à côté de la table.

— C'est ridicule. Et si tu étais attiré par une femme qui a moins de quarante ans ?

Elle s'immobilisa momentanément.

— Je ne parle pas de moi, bien sûr. Mais quelqu'un d'autre ?

Wade se leva aussi, mais ne fit pas mine de s'approcher. Il demeura impassible, la fixant en silence. Il la rendait nerveuse, et elle se troubla malgré elle.

— Quelqu'un qui fait battre ton cœur plus vite... ?

Il promena lentement les yeux sur elle, s'attardant sur son corps et son visage avant de rencontrer son regard.

— Tu m'attires, mais je n'ai pas l'intention de me marier, et certainement pas d'avoir des enfants. Par conséquent, dans ce cas précis, l'affaire est close, conclut-il en s'appuyant à la table de pique-nique.

Geneva lui avait offert une occasion idéale de changer d'avis et de renoncer à l'emmener au bal. Il n'aurait eu qu'à exprimer ses regrets à propos de la cheville blessée, voire proposer de lui faire quelques courses pour lui permettre de se reposer, et continuer son bonhomme de chemin avec quelqu'un qui préférait sa carrière à la maternité. Ou qui avait plus de quarante ans. Ç'aurait été la solution la plus facile. Et certainement la plus raisonnable.

Mais quelque chose lui disait de ne pas renoncer si vite. S'il avait été le genre d'homme à choisir la facilité, il n'aurait jamais pris le risque de perdre la ferme qui appartenait à sa famille depuis des générations — sans parler de déstabiliser son frère — pour fonder un Country Club à la mort de ses parents. Il avait suivi son instinct, certain que c'était la bonne décision.

Heureusement pour lui, il ne s'était pas trompé.

Mais dans le cas de Geneva Jensen, l'enjeu était mille fois plus important.

Jusqu'où irait-il avant de lâcher prise ?

— Sois prête à 7 heures, dit-il avant de s'éloigner.

6.

Mi cafétéria, mi bar louche, Cassidy n'avait vraiment rien de l'auberge romantique que Geneva s'était imaginée. Dans ce décor, sa robe longue et son rang de perles étaient tout à fait déplacés, et elle-même se sentait à la fois ridicule et agacée.

Geneva se souvint trop tard que Wade avait tenté de les dissuader de venir là, et qu'elle avait affirmé que Cassidy serait « parfait ». Avant l'arrivée de Cary, Wade lui avait suggéré d'emprunter son téléphone portable au cas où. Elle avait refusé, mais il avait insisté pour glisser l'appareil dans son sac à main en velours noir, et à présent, elle lui en savait gré.

Le docteur lui tendit un menu graisseux qu'elle eut vite fait de consulter. Comme elle s'y attendait, la cuisine non plus n'avait rien de sophistiqué. Le choix se résumait à différents types de steaks, frits ou grillés. La serveuse prit leur commande et revint quelques minutes plus tard, avec un pichet de bière pour Cary et un verre d'eau glacée pour Geneva.

Ils feraient connaissance en attendant le repas, songea-t-elle. Il était déjà clair qu'ils ne partageaient pas les mêmes goûts en matière de restaurant, mais cela ne signifiait pas qu'ils n'avaient pas de points communs. Peut-être devrait-elle essayer de le faire parler de son travail, des enfants qu'il soignait ? Suivant les conseils de Wade, elle opta pour l'approche directe.

— Vous devez aimer les enfants pour avoir choisi d'exercer la pédiatrie ?

Il haussa les épaules et fit craquer les jointures de ses doigts.

— Ça va si on peut supporter d'avoir les oreilles cassées toute la journée.

— Eh bien ! Je suppose que chaque profession a ses désavantages, répondit Geneva, légèrement décontenancée. La vôtre doit aussi avoir de bons côtés ?

Il sourit et ses lunettes remontèrent sur ses joues rebondies.

— Oui, je suis libre un mercredi sur deux pour jouer au golf.

L'orchestre choisit ce moment pour entonner une mélodie populaire et plusieurs couples se dirigèrent vers la piste.

Cary ne parlait sans doute pas sérieusement, se dit-elle.

Tout au moins elle l'espérait.

Incapable de rester tranquille, Wade éteignit la télévision et gagna la cuisine, regrettant que Geneva ne lui ait pas confié la garde de Jacob au lieu de l'emmener chez sa grand-mère pour le week-end. S'il avait été occupé, il ne se serait pas inquiété pour elle alors qu'il n'avait pas la moindre raison de le faire. Elle n'était partie que depuis une demi-heure, et, d'ailleurs, le Dr Grant était

82

un homme très bien. Certes, il avait quelques défauts mineurs, comme de rire trop fort de ses propres plaisanteries et d'être un tantinet ennuyeux parfois. Rien de grave, cependant.

Malgré lui, Wade s'arrêta devant le téléphone. Il consulta l'annuaire et composa le numéro.

— Cassidy, fit une voix à peine audible dans le vacarme de la musique.

Et que comptait-il faire, à présent ? Demander à parler à Geneva ? Non, elle ne lui pardonnerait jamais d'avoir interrompu un autre rendez-vous.

— Oui ? reprit la voix avec impatience. Qu'est-ce que vous voulez ?

La main de Wade se crispa sur le combiné.

— J'aimerais savoir si Mme Geneva Jensen est là.

— Une seconde, je vais faire un appel.

— Un appel ? répéta Wade, un instant déconcerté. Non, attendez !

— Ecoutez, mon vieux, je n'ai pas le temps de m'amuser.

— Dites-moi seulement s'il y a une femme. Avec un homme.

— Ouais, il y en a une cinquantaine. C'est tout ce que vous vouliez savoir ? J'ai autre chose à faire, figurez-vous.

— La femme que je cherche est petite, elle a les cheveux châtains bouclés, et elle est jolie. *Très* jolie.

A l'autre bout du fil, son interlocuteur poussa un soupir.

— Toutes les femmes ici sont petites, comparées à moi, et la plupart ont les cheveux frisés. Pour ce qui est du reste, plus un homme boit, plus il trouve les filles jolies.

Et à voir l'état des clients ce soir, je dirais qu'elles le sont toutes à leurs yeux.

Ils avaient déjà fait quelques danses, et Geneva était prête à retourner à leur table, mais Cary paraissait tenir à ce qu'ils restent sur la piste. Le rythme de la musique changea, et les accents lents d'une ballade emplirent la pièce. Geneva désigna leur banquette d'un geste, mais Cary l'ignora et lui prit la main, fredonnant avec la musique.

Il essayait peut-être de lui faire la cour, mais Geneva n'était guère impressionnée. Il avait une voix agréable mais les paroles qu'il chantait et la manière dont il la tenait contre lui étaient trop intimes à son goût.

— Je vais m'asseoir maintenant, dit-elle.

— Finissons cette chanson.

Malheureusement, le chanteur enchaîna immédiatement sur un autre slow. Geneva sentit ses joues s'empourprer, mais son émoi n'avait rien à voir avec l'ambiance romantique que l'orchestre tentait de créer. Elle était irritée contre elle-même, consciente qu'elle aurait dû se fier à son instinct. Cary n'était pas l'homme qu'il lui fallait.

Pourquoi Wade le lui avait-il présenté ? se demandat-elle, exaspérée, avant de se rendre compte qu'elle était injuste. Après tout, Cary était certainement un partenaire de golf agréable. Comment Wade aurait-il pu savoir comment il se comportait avec les femmes ?

— Cela suffit, dit-elle fermement.

Cary cligna des yeux, la dévisageant d'un air surpris.

84

— Allons, fit-il d'un ton caressant. Laissez-vous aller, hein ?

Il parlait d'une voix empâtée, sans doute à cause des bières qu'il avait bues.

— Je sens que vous en mourez d'envie, continua-t-il en fredonnant de plus belle :

« Veux-tu me faire un bébé ? »

« Dis-moi oui, s'il te plaît ! »

Il l'enlaça de nouveau, l'écrasant contre lui, sans plus chercher à dissimuler ses intentions.

— J'ai envie de vous. Pourquoi attendre ?

Sur quoi il plaqua ses lèvres sur les siennes.

Wade ouvrit la porte d'entrée et pénétra dans le bar enfumé. Avec un peu de chance, Geneva passait une excellente soirée, songea-t-il, attendant que ses yeux s'habituent à la pénombre.

Il demeura immobile un instant, la cherchant du regard dans la partie réservée au restaurant. Il ne resterait que quelques instants, décida-t-il, le temps de s'assurer que tout allait bien et qu'elle s'amusait. Après quoi, il pourrait rentrer chez lui la conscience tranquille.

A moins qu'il attende dans la voiture de la voir sortir.

Wade s'avança, et tressaillit en sentant une main agripper sa chemise. Une silhouette se faufila entre lui et la piste de danse. Une fille vêtue d'une robe rouge aussi courte que moulante se mit à lui caresser le bras en lui coulant un regard suggestif.

— Tu danses, mon chou ?

Un mouvement captura l'attention de Wade sur la piste, et son regard tomba sur un couple enlacé. La femme tentait vainement de se dégager des bras de l'homme. A sa grande consternation, Wade reconnut Geneva qui, les cheveux en désordre, les joues écarlates, prenait son élan pour administrer à Cary une gifle bien méritée.

Wade fronça les sourcils, furieux contre lui-même. Comment avait-il pu la confier à un individu pareil ?

Ecartant gentiment mais fermement l'inconnue de son chemin, il se rua sur la piste au secours de Geneva.

— Mais, ma belle, tu m'as mal compris, fit Cary en se frottant le menton, visiblement incrédule. Je voulais juste te montrer que tu me plais. Viens là.

En dépit du fait que l'orchestre avait entonné une danse endiablée, Cary attira Geneva à lui de nouveau. De toute évidence, il ne comprenait pas le sens du mot « non ». Elle venait de lui écraser le pied droit d'un coup de talon quand un coup de poing le fit soudain chanceler, l'éloignant d'elle.

Ecarquillant les yeux de surprise, Cary trébucha et perdit l'équilibre. Au moment où il allait s'écrouler, une main puissante le saisit par sa chemise, le forçant à se relever pour faire face à son agresseur.

Geneva n'avait jamais vu une telle expression de fureur sur les traits de Wade auparavant. La mâchoire crispée, le regard assassin, il s'apprêtait visiblement à pulvériser Cary.

L'espace d'une seconde, Geneva hésita entre l'envie de l'en empêcher et celle de l'y encourager. Ivre ou pas,

Cary méritait une bonne correction, mais, à en juger par la force et la rage de Wade, le combat serait inégal.

Juste au moment où il prenait son élan pour asséner un coup de poing magistral au docteur, elle le saisit par le bras, le retenant de toutes ses forces.

— Non, je t'en prie.

Il tressaillit et ralentit son geste, mais ne put l'arrêter, et la violence de l'impact la jeta à terre. Wade, quoique tenté d'achever la besogne qu'il avait commencée, s'agenouilla près d'elle et l'aida à se relever.

Ignorant les regards des curieux, il la tint contre lui tandis qu'elle époussetait sa robe froissée. A l'expression bouleversée qu'il affichait, Geneva devina qu'elle n'avait pas fière allure. Il tendit la main et rajusta doucement son corsage défait.

— Oh, Gen, dit-il simplement, avant de la recueillir dans ses bras.

Wade jeta un coup d'œil inquiet à Geneva, craignant à tout instant qu'elle éclate en sanglots. Le menton tremblant, elle regardait droit devant elle, et il ne put s'empêcher de l'admirer. Compte tenu de l'épreuve qu'elle venait de traverser, elle se montrait incroyablement forte.

— Je suis désolé, dit-il en lui pressant la main. Si j'avais su qu'il se conduirait ainsi, je ne vous aurais jamais présentés l'un à l'autre.

— Ce n'est pas ta faute.

Sa voix se brisa, et elle s'éclaircit la gorge avant de poursuivre.

— J'étais complètement dépassée par les événements. Je ne suis jamais beaucoup sortie avant d'épouser Leslie, et les temps ont changé.

Wade serra sa main dans la sienne.

— Les temps ont peut-être changé, mais c'est toujours impardonnable pour un homme de traiter une femme de cette manière.

Elle leva les yeux vers lui.

— Si tu n'avais pas été là, je ne sais pas ce que j'aurais...

Elle laissa la phrase en suspens, et une larme solitaire coula sur sa joue.

Un peu plus tard, alors qu'ils arrivaient à proximité de la demeure, Wade pensa qu'il ne pouvait se résoudre à la ramener à la maison. S'ils rentraient, elle irait se réfugier dans son appartement, refermant la porte derrière elle, et se retrouverait seule avec son chagrin. Non, décida-t-il, elle avait besoin de compagnie ce soir... besoin de quelqu'un qui l'aiderait à oublier ce gâchis.

Il tourna à gauche après le Country Club, dépassa l'abri du jardinier, puis traversa le green, avant de se garer sous un chêne noueux dont le tronc se scindait à hauteur d'épaule.

Geneva lui lança un regard interrogateur. Il lui sourit et coupa le contact.

— J'ai pensé que tu aurais peut-être envie de regarder les étoiles avant de rentrer.

Elle baissa les yeux, et Wade devina qu'elle se méfiait.

— Ne t'inquiète pas, dit-il, avant de désigner un sentier sous les arbres. Quand j'étais enfant et que j'avais besoin d'être seul, je venais me réfugier là.

Il descendit prendre une couverture dans le coffre. Après une courte hésitation, elle le suivit tandis qu'il se dirigeait vers une clairière qui bordait un petit ruisseau. Il étendit la couverture au clair de lune et attendit qu'elle se soit assise pour prendre place à côté d'elle, les bras sur ses genoux repliés.

Geneva le dévisagea, se demandant brièvement s'il avait une arrière-pensée en l'amenant ici, avant de décider aussitôt que ce n'était pas le cas. Elle connaissait Wade depuis peu de temps, mais son instinct lui disait qu'il était franc et sincère.

Et, d'ailleurs, son succès auprès des femmes était légendaire. Pourquoi aurait-il eu besoin de recourir à un subterfuge pour séduire ?

Il tendit la main et ramassa une brindille tombée d'un arbre, retirant lentement l'écorce en attendant que son sanctuaire secret produise son effet sur Geneva. Bientôt, elle s'étendit sur la couverture, et leva les yeux vers le ciel constellé d'étoiles.

— Je suis vraiment désolé pour ce soir, répéta-t-il. Je ne me doutais pas que Cary était un tel goujat.

— Je ne t'en veux pas, répondit-elle doucement, plus détendue à présent. Je ne t'en veux même pas de nous avoir suivis chez Cassidy. Je n'ose pas imaginer ce qui se serait passé si tu n'avais pas été là.

Wade sentit son estomac se nouer à cette pensée. Si les choses avaient mal tourné, tout aurait été de sa faute.

Un silence paisible s'installa entre eux. Wade s'allongea à son tour sur la couverture et pointa le doigt vers le sommet des arbres.

— Quand j'étais petit, je regardais les chauves-souris piquer vers le sol pour attraper les insectes.

Geneva plissa les yeux dans la direction qu'il indiquait, bientôt récompensée par la vue d'un ballet de chauves-souris au clair de lune.

— Quelqu'un d'autre connaît cet endroit ?

Il resta longtemps silencieux, puis croisa les mains derrière sa tête, son coude effleurant l'épaule de Geneva.

— Tu es la première personne que j'amène ici, avoua-t-il. Sean ne pouvait pas emprunter le sentier.

Il n'ajouta rien, mais Geneva se demanda soudain si Wade venait là précisément pour être seul, loin de son jeune frère.

— A cause de ses béquilles ?

Wade secoua la tête.

— Il a passé les dix premières années de sa vie dans un fauteuil roulant. Les médecins disaient qu'il ne marcherait jamais, et mes parents les croyaient.

Il soupira au souvenir des frustrations de cette époquelà. Pendant des années, il avait aidé son frère à se lever, l'encourageant à rester debout aussi longtemps que possible afin d'affermir les muscles de ses jambes.

Quand le garçon avait finalement été capable de tenir debout seul pendant quelques secondes, Wade avait eu la conviction qu'il pourrait marcher un jour. Par chance, son frère et lui étaient obstinés.

— Je me suis promis un été que, lorsque l'école recommencerait, Sean monterait dans le bus sur ses deux jambes.

Geneva se tourna vers lui en souriant.

— Et tu as réussi ton pari.

— Pas exactement. Ma mère pensait que c'était voué à l'échec, et que Sean n'en serait que plus déçu. Elle a essayé de nous empêcher de le faire.

— Quoi ? Comment une mère… ?

Wade lui mit un doigt sur les lèvres.

90

— Ce n'est pas ce que tu crois. La plupart des enfants nés avec le syndrome de Joubert ne parviennent jamais à marcher, ni à suivre une scolarité normale, expliqua-t-il. Le médecin nous a brossé un tableau plutôt sombre de la situation, laissant entendre à mes parents que Sean n'atteindrait pas l'âge adulte. Mais j'étais sûr qu'il marcherait un jour, et Sean et moi étions déterminés à y arriver. Seulement, il a fallu plus longtemps que prévu.

Geneva fit un rapide calcul mental, et se rendit compte que Sean avait dû passer du fauteuil roulant aux béquilles vers l'époque où Wade avait terminé ses études. Loin de fréquenter les soirées étudiantes et de collectionner les conquêtes féminines, ainsi qu'elle se l'était imaginé, il avait consacré son temps libre à son frère, à l'aider jour après jour à faire des exercices dans l'espoir qu'il surmonte enfin son handicap...

— Il est rare que quelqu'un se dévoue à ce point à une autre personne, dit-elle, pensive. Ton frère a beaucoup de chance de t'avoir.

Instinctivement, elle avait posé une main sur son bras. il baissa les yeux, mais ne fit pas mine de la toucher.

— Je prends soin des gens qui sont importants pour moi.

De façon tout à fait inattendue, Geneva fut horriblement déçue de constater qu'il ignorait son désir de se rapprocher de lui. Pourtant, ses paroles comblèrent le fossé entre eux.

— Tu es venu chez Cassidy, murmura-t-elle. Tu me cherchais ?

Il hocha la tête et tendit la main, lui caressant les cheveux. Comme il lui effleurait la joue de ses doigts, le clair de lune illumina ses traits, et Geneva lut sur son visage un désir qui reflétait le sien.

— Oui, dit-il enfin. Je te cherchais. Parce que tu es importante pour moi.

Elle devina ce que cet aveu lui coûtait. Une bonne minute s'écoula avant que le sens de ses paroles pénètre vraiment dans son cerveau et, surtout, dans son cœur. Elle leva la tête vers lui, offerte, comme pour le supplier de lui montrer avec ses mains, ses lèvres, son corps, à quel point elle était importante pour lui.

Wade se figea, interrompant la caresse qu'il avait commencée. Mais son hésitation fut de courte durée. L'instant d'après, elle était dans ses bras. Une vague de bien-être l'envahit, et il songea qu'il pourrait rester là une éternité, pourvu que cette femme, la femme de ses rêves, soit blottie contre lui.

Elle se laissa aller sur la couverture, sa chevelure répandue autour de la tête comme une rivière. Elle le regardait avec tendresse, l'invitant à l'étreindre.

— Toi aussi, tu es important pour moi, souffla-t-elle.

Il se pencha pour l'embrasser, et l'échancrure de sa robe révéla un peu de chair lisse et crémeuse. Wade tendit la main pour replacer le pan de tissu, mais Geneva la prit et la pressa contre sa poitrine. Il entendit les battements précipités de son cœur, conscient que le sien battait au même rythme.

Pour la première fois, il se sentit heureux que les autres rendez-vous de Geneva se soient soldés par des échecs. Au fond, il avait su dès le départ que ces hommes n'étaient pas pour elle. En dépit des points communs apparents, il avait su qu'ils ne s'entendraient pas sur l'essentiel. Une vague de remords le submergea à la pensée de l'épreuve qu'il lui avait imposée.

— Je suis désolé pour ce soir, répéta-t-il.

— Ce n'est pas ta faute, répondit-elle en lui tendant ses lèvres.

Il l'embrassa avec tant de passion qu'ils en eurent tous les deux le souffle coupé. Le cœur de Geneva battait à tout rompre, et il voulut l'apaiser en posant la main sur sa peau nue. Elle prit une inspiration, et le tissu s'écarta, révélant deux seins ronds sous une mince enveloppe de dentelle. Avec une impatience qu'il n'avait jamais ressentie avant, il défit l'attache du soutien-gorge et dénuda sa poitrine, envahi par une irrésistible bouffée de désir.

Consciente de l'effet qu'elle produisait sur lui, elle déboutonna timidement sa chemise. Une brise fraîche se leva, et Geneva frissonna légèrement. A la vue de la pointe dressée de ses seins, Wade sentit sa bouche se dessécher. Il prit une profonde inspiration, arrachant presque les derniers boutons de sa chemise. Puis il retira la ceinture de Geneva, et écarta les plis de sa robe, exposant son corps au clair de lune.

Il la contempla avec admiration, fasciné par sa beauté. Les yeux brillants, Geneva lui tendit les bras, et il recouvrit son corps du sien. Il prit possession de sa bouche, savourant le goût de ses lèvres avant de promener les mains sur ses seins, sur son ventre plat, entre ses cuisses. Elle noua les bras autour de son cou, leurs corps soudés l'un à l'autre.

Wade était sur le point de retirer sa ceinture quand un éclair de lucidité lui traversa l'esprit. Qu'était-il sur le point de faire ? Avait-il oublié qu'il ne pouvait prendre un tel risque ? Non seulement pour lui, mais pour elle, pour l'enfant qui naîtrait peut-être de leur union. Il ne portait pas de préservatif sur lui, et même s'il en avait eu un, il ne pouvait pas la traiter ainsi.

Il se redressa brusquement, tirant sur les pans de sa chemise.

— Nous ne pouvons pas faire cela, Geneva.

Elle le regarda, visiblement blessée et humiliée.

Comment avait-il pu la faire souffrir de la sorte après avoir voulu la protéger des avances de Cary ? se demanda Wade, submergé par le remords.

Il mourait d'envie de la reprendre dans ses bras, mais il savait aussi qu'il ne pouvait faiblir. Mieux valait qu'elle souffre un peu ce soir, plutôt que d'avoir des regrets jusqu'à la fin de ses jours.

7.

Pourquoi fallait-il qu'elle ait autant de scrupules à respecter ses promesses ? se demanda Geneva, irritée contre elle-même. Après que Wade l'avait si cruellement repoussée la veille, à quoi bon l'accompagner au bal ?

Et pourtant, elle était venue. A présent, elle buvait une coupe de champagne, consciente que les notables de Kinnon Falls la dévisageaient avec curiosité. La dernière conquête de Wade, songea-t-elle avec amertume, regrettant d'avoir promis à sa mère de lui laisser Jacob tout le week-end. Si elle ne l'avait pas fait, elle aurait eu une excuse pour s'esquiver.

La veille au soir, elle avait pleuré pendant des heures avant de s'endormir — pas à cause de l'incident avec Cary, mais parce qu'elle se sentait stupide. Comment avait-elle pu se jeter à la tête du play-boy de la ville pour être rejetée ainsi ?

Elle soupira, et baissa machinalement les yeux sur sa robe. Au moins, elle n'avait pas passé des heures à confectionner la tenue qu'elle portait. La robe droite en satin vert pâle était toute simple, mais lui allait comme un gant. Il était dommage de penser qu'elle ne la remettrait sans doute pas. Trop de souvenirs douloureux y étaient associés.

Ignorant le regard intense de Wade, elle réprima l'envie de vider sa coupe d'un trait, et se contenta d'observer ce qui se passait autour d'elle. Certains visages étaient familiers, parce qu'elle les avait aperçus au Country Club. Il y avait le chef de la police locale, quelques célébrités de la télévision, des hommes d'affaires, deux ou trois sportifs professionnels, et même des politiciens connus. Sans oublier une femme enceinte. Heureusement pour elle, songea Geneva, plusieurs médecins étaient aussi présents en cas d'urgence, ce qui était bien naturel, d'ailleurs, puisque le bal était donné au profit de l'hôpital pour enfants. Tous ces gens semblaient connaître Wade personnellement. Surtout les femmes.

L'orchestre débuta par un rock entraînant, et Geneva ne put s'empêcher de battre du pied au rythme de la musique. Wade lui toucha le bras, et elle tressaillit, se reprochant d'être ravie de ce simple geste.

— Veux-tu danser ?

Elle hésita longuement, consciente qu'être dans ses bras ne ferait que raviver la blessure. Il était évident qu'il se servait d'elle pour repousser d'autres femmes, rien de plus. Elle prit une profonde inspiration, et se décida. Elle danserait avec lui, mais seulement pendant quelques instants, et après un laps de temps raisonnable, elle prétendrait souffrir d'une migraine et le prierait de la raccompagner. Ce ne serait pas un mensonge, d'ailleurs. Le seul fait d'être près de lui, de respirer son odeur masculine, d'entendre sa voix grave, faisait s'accélérer les battements de son cœur, et lui donnait le vertige.

— Tu n'as pas à t'inquiéter, dit-il en lui tendant la main. Nous ne sommes pas chez Cassidy, et je ne suis pas Cary.

Sa voix était rassurante, et elle répondit doucement, trahissant les émotions qu'elle tentait de dissimuler.

— Je sais.

Certes, elle ne craignait pas qu'il se comporte comme le goujat de la veille, mais cela ne signifiait pas qu'elle doive se détendre. Il tenait son cœur entre ses mains...

Et si elle n'y prenait garde, il le briserait.

Elle se surprit bientôt à danser avec plaisir entre les bras de Wade, épousant ses mouvements, tournant et virevoltant avec abandon.

Tout comme elle éprouvait du plaisir à sentir peser sur elle ses regards intenses, possessifs.

Il parut remarquer qu'elle était songeuse.

— Tu penses à moi ? fit-il, un léger sourire creusant une fossette sur sa joue bronzée.

Indirectement, oui, s'avoua-t-elle. Pourquoi toutes ses pensées semblaient-elles revenir à Wade ?

— Je pensais à une maison que j'ai vue en venant ici.

— Dans Kagle Avenue ?

— Oui. Ce serait un endroit merveilleux pour élever Jacob, soupira-t-elle en se laissant aller contre lui au son de la musique. Dommage que je n'aie pas assez d'argent pour l'acheter maintenant.

Wade se raidit légèrement. Sans doute était-il inquiet parce qu'il n'y aurait personne pour s'occuper de son frère si elle partait.

— Et je n'en aurai pas assez avant longtemps, ajouta-t-elle pour le rassurer.

97

D'ailleurs, elle n'avait pas envie de déménager, songea-t-elle, troublée. Elle se plaisait dans son appartement, même si elle n'était là que depuis peu de temps. C'était déjà devenu un foyer. Jacob et elle s'y sentaient bien, comme s'ils avaient trouvé leur place.

— Je l'espère bien, fit-il en se penchant vers elle.

Une bouffée d'espoir envahit Geneva. Allait-il l'embrasser ?

Seigneur ! Qu'était-il advenu de ses bonnes résolutions ? Elle prenait trop de plaisir à être entre ses bras, à savourer l'attention exclusive qu'il lui accordait. Elle savait pourtant que son charme n'était qu'une arme, un outil qu'il avait développé avec un succès infaillible auprès de dizaines de femmes.

En proie à l'émotion, elle leva les yeux vers lui. Leurs regards se soudèrent. Ce fut comme s'ils cédaient tous les deux à l'attraction intense, profonde, irrésistible de leurs corps et de leurs êtres. Il glissa une main dans son dos et l'attira à lui.

Il l'embrassa longuement, tendrement. Quand elle rouvrit les yeux, il la dévisageait comme s'il voulait lire au plus profond de son cœur.

Un mouvement non loin d'eux retint son attention, et Geneva suivit son regard. La femme enceinte qu'elle avait remarquée plus tôt les fixait, sans chercher à dissimuler sa curiosité.

Sans cesser de danser, Wade guida Geneva vers un endroit tranquille.

— C'est mieux ?

— Oui, beaucoup mieux.

98

A l'abri des lumières vives, elle se sentait plus détendue, comme si Wade lui appartenait davantage maintenant qu'elle n'avait plus à le partager avec les autres.

Il hocha la tête.

— J'ai pensé que tu préférais rester discrète. Etre vue avec moi pourrait effrayer un mari potentiel !

Il avait parlé sur le ton de la plaisanterie, mais elle discerna un soupçon d'amertume dans sa voix.

— Wade, ce n'est pas ce que je voulais dire.

Peut-être avait-elle pensé à cela quelques jours plus tôt, mais quelque chose avait changé entre eux à présent. Elle le voyait sous un jour différent. Et la nouvelle perspective la ravissait et la terrifiait à la fois. Soudain, elle se moquait de protéger sa réputation.

L'important était la compagnie de cet homme qui lui faisait oublier qu'elle était une femme ordinaire, qui lui donnait l'impression d'être sexy, exotique, désirable.

Elle voulait rester là, avec lui. Passer la soirée à danser avec Wade Matteo, sachant qu'elle faisait envie à toutes les autres femmes dans la salle. C'était insensé, elle en était consciente, mais son cœur ne voulait rien entendre.

— C'est toi que je...

Soudain, le projecteur qui errait sur la foule se fixa sur eux, s'attardant comme si tout le monde attendait qu'elle achève sa phrase. Un flash se déclencha, et elle comprit que ce moment d'intimité avait été capturé par un appareil photo. Embarrassée, Geneva se tut et leva les yeux vers Wade.

Il ne paraissait pas s'émouvoir de l'attention qu'ils suscitaient, continuant à la guider d'un mouvement fluide, harmonieux.

— Ne t'inquiète pas, conseilla-t-il tandis que le projecteur les enveloppait de nouveau. Au bout d'un moment, tu n'y feras plus attention.

Comment pouvait-elle ignorer une telle intrusion ? se demanda-t-elle, sidérée que Wade soit si détendu. Il s'y était habitué, sans doute. Homme d'affaires prospère, connu pour son penchant pour les jolies femmes, il apparaissait souvent dans le carnet mondain du journal de la région. D'ailleurs, n'avait-il pas été élu « Célibataire de l'Année » ?

Geneva fit un faux pas et lui marcha sur le pied.

— Je suis désolée, balbutia-t-elle tandis qu'il l'entourait de son bras.

En dépit des sentiments qu'elle éprouvait pour Wade, elle ne put s'empêcher de penser que cette soirée devait lui servir d'avertissement. Alors qu'elle rêvait d'un bonheur tranquille, familial, il était clair que Wade était dans son élément dans les soirées mondaines.

Quelle importance, après tout ? Il avait clairement dit qu'il ne voulait pas d'une relation avec elle.

Il y eut un autre flash, et Geneva cligna des yeux, éblouie. Wade se retourna vers elle. Elle était superbe, mais paraissait désemparée et confuse. Il était évident qu'elle n'était pas habituée à ce genre de soirée, et qu'elle faisait un effort pour accepter de bonne grâce l'attention dont ils étaient l'objet.

Elle n'avait pas voulu l'accompagner ce soir, et n'y avait consenti que par devoir. Mais il était heureux qu'elle soit venue, songea-t-il, troublé à cette pensée, et soudain soucieux de la protéger des regards et des murmures qui les entouraient.

100

La danse se termina, et l'orchestre entama un autre morceau, lui offrant l'occasion qu'il désirait. Passant un bras autour de la taille de Geneva, il fit mine de la guider vers la table.

— Veux-tu que nous rentrions ?

Elle lui emboîta le pas, lui agrippant le coude tandis qu'il leur frayait un chemin dans la foule. La blonde en robe de maternité surgit devant lui, et il s'arrêta net. Geneva entra en collision avec lui et se rattrapa à sa taille, frappée une fois de plus par la force qui émanait de lui.

— J'ai gagné mon pari, déclara l'inconnue. Deanna pensait que tu ne viendrais pas, mais je lui ai dit que tu ne manquais jamais ces soirées.

Wade prit la main de Geneva.

— Bonsoir, Renée, dit-il machinalement, tout en tentant de la contourner, interposant son corps entre elles deux.

Renée se tourna sur le côté, bloquant son chemin.

— Qui est-ce ? Ta dernière... ?

— Ravi de t'avoir revue, lâcha-t-il en hâte, cherchant visiblement à prendre congé d'elle.

Il fit mine de reculer et de changer de direction, mais la curiosité de Geneva avait été piquée. Elle tendit la main vers l'inconnue.

— Bonsoir, je suis Geneva Jensen.

— Renée Austin.

Elle se pencha et serra la main de Geneva.

— Laissez-moi vous avertir... Si vous avez des vues sur cet homme, fit-elle d'un ton léger, oubliez-les tout de suite.

Elle sourit et posa la main sur son ventre proéminent.

— Il ne s'intéresse qu'à une seule chose, et quand il l'a obtenue, il passe à la personne suivante sur sa liste.

Geneva avait déjà entendu pareille mise en garde. Mais curieusement, cette femme parlait d'un ton désinvolte, comme si elle l'avertissait d'éviter les pamplemousses et de choisir des melons à la place. Renée éclata de rire, et Geneva décela une lueur de panique dans les yeux de Wade.

— Attention, dit-il avec un sourire forcé, tu vas ruiner ma réputation.

Geneva suggéra qu'ils aillent bavarder dans un endroit plus calme, mais il s'empressa de l'attirer à lui en lui « rappelant » qu'ils avaient d'autres projets, dont elle ignorait tout jusqu'alors.

— Mon chou, une autre fois, peut-être, dit-il, mais je comptais sur ce pique-nique en tête à tête que tu m'as promis.

La musique était assourdissante, et Geneva se demanda si elle avait bien entendu.

— Pique-nique ?

Il lui caressa la nuque tout en la suppliant du regard.

— Tu n'as pas oublié ? Le pique-nique pour deux ? Sur une couverture au clair de lune ?

Geneva retint son souffle tandis qu'il soulevait lentement ses cheveux, puis promenait un doigt sur son cou. Au souvenir de l'intimité de la veille, une bouffée de désir l'envahit malgré elle, comme s'ils étaient de nouveau seuls au bord du ruisseau. Elle laissa échapper un léger soupir.

— Tu n'as pas changé, n'est-ce pas, Wade ? fit Renée avec un clin d'œil, avant de se tourner vers Geneva. Souvenez-vous de ce que je vous ai dit. Ne lui abandonnez pas votre cœur. Il n'est pas homme à se consacrer à une seule femme !

Sur quoi elle lui adressa un petit signe d'adieu et disparut dans la foule.

Geneva eut l'impression d'avoir reçu un seau d'eau en pleine figure. Avait-elle perdu la tête ?

Que lui arrivait-il ? Comment avait-elle pu tomber amoureuse d'un homme tel que Wade... un homme qui était le contraire absolu du compagnon qu'elle cherchait ? Enfin, peut-être pas le contraire absolu. Il était terriblement séduisant, après tout. Mais les muscles et la sensualité n'étaient pas nécessairement des attributs qu'elle désirait.

Quant à son charme... il était évident que toutes les femmes lui tombaient dans les bras. Comme Renée l'avait si clairement démontré, elles étaient folles de lui au point de lui pardonner de les avoir délaissées pour une autre !

Ni elle ni Wade n'avaient rien dit, mais Geneva était intimement persuadée qu'il était le père de l'enfant que celle-ci portait. Pour quelle autre raison aurait-il pu vouloir empêcher Renée de lui parler ? Il était non moins évident qu'il ne voulait pas s'occuper du bébé. Etonnamment, Renée semblait satisfaite de cet état de choses.

Geneva en était sidérée. Eh bien, elle ne lui ferait pas le plaisir d'allonger la liste de ses conquêtes. Elle voulait un homme stable, sérieux. Elle se détacha brusquement de Wade et alla prendre le boléro en velours qu'elle avait laissé sur sa chaise. Visiblement décontenancé, il lui lança un regard interrogateur et lui tint la veste galamment, sans tenter de la toucher.

Il ne reparla pas du pique-nique.

Son attitude offrait un contraste frappant avec la façon dont il s'était comporté en présence de Renée, songea-t-elle. Il était clair qu'il ne s'intéressait pas à elle.

Elle qui rêvait de mariage, de fidélité et de stabilité.

Elle s'enveloppa dans la veste et lui tourna le dos.

— Geneva ? Que se passe-t-il ?

Elle n'avait absolument rien à lui reprocher, se dit-elle soudain. Il avait été on ne peut plus clair dès le début, affirmant sans détours qu'il ne voulait pas d'une relation avec elle. Pas plus qu'elle ne voulait d'une relation avec lui.

Et elle avait toujours su qu'il ne l'avait invitée à ce bal que pour décourager les avances féminines. Il s'était servi d'elle, certes. Mais cela aurait pu être pire. S'il n'avait pas recouvré son bon sens la veille...

— Rien, répondit-elle. Mais je voudrais savoir une chose.

Ils traversèrent la salle, se dirigeant vers la terrasse qui menait au parking.

— Es-tu le père de cet enfant ?

Cela ne la regardait pas, et Renée n'avait pas paru particulièrement bouleversée que le père du bébé refuse d'assumer ses responsabilités. Mais Geneva pensait à l'enfant qui devrait grandir sans père, parce que ce dernier était trop égoïste pour accepter son existence !

— De quoi parles-tu ?

— Je t'en prie. Il n'est nul besoin d'être détective pour comprendre ce qui s'est passé entre vous deux.

Wade s'immobilisa sur le seuil.

— Ton imagination te joue des tours. Tu n'as jamais pensé à écrire des romans ?

Geneva n'allait pas renoncer aussi facilement. Non seulement elle était curieuse de savoir la vérité, mais elle était certaine que sa fascination pour Wade s'évanouirait si elle avait la confirmation qu'il était un père indigne. Avec un peu de chance, elle pourrait se remettre de sa déception et sa vie reprendrait son cours normal.

Elle devait fermer son cœur à Wade afin de pouvoir l'ouvrir à un autre homme, mieux à même de satisfaire ses besoins.

— Tu n'as pas répondu à ma question.

A ce moment précis, un homme d'une trentaine d'années arriva à leur hauteur. Il les regarda, parut hésiter, puis se tourna vers Wade en riant.

— Toujours le même, n'est-ce pas, Matteo ?

— Dan ! Quelle surprise ! Où étais-tu passé ces dernières années ?

Les deux hommes se donnèrent une franche poignée de main accompagnée de bourrades amicales.

— J'étais dans le Tennessee, expliqua Dan. Je travaille dans la firme de mon oncle. On m'a dit que tu avais organisé cette soirée au profit de l'hôpital et j'ai pensé venir te saluer.

Geneva s'éclaircit la gorge, et Wade se tourna vers elle.

— Daniel Etheridge, je voudrais te présenter ma... euh... voisine, Geneva Jensen.

Il n'avait pas dit qu'elle était son amie, remarqua-t-elle, sans doute de crainte que Daniel ne conclue qu'elle était sa « petite » amie. Depuis ce moment d'intimité qu'ils avaient partagé sur la piste de danse, il semblait déterminé à la tenir à distance. A moins que...

Un soupçon s'empara d'elle. Qu'avait-il en tête ?

Daniel lui sourit.

— Excusez-moi un instant. Je reviens tout de suite.

— Qu'y a-t-il ? demanda Wade dès qu'il se fut éloigné. Tu as une drôle de tête.

— Tu ne vas pas recommencer ? Je te préviens...

Elle se rapprocha discrètement de la porte, bien décidée à s'esquiver. Certes, elle voulait fermer son cœur à Wade, mais elle n'avait pas la moindre intention de se soumettre à l'épreuve d'un autre rendez-vous voué à l'échec.

— Je m'en vais.

Wade lui prit le poignet au moment où Dan revenait vers eux. Elle ne pouvait s'en aller sans provoquer une scène. Elle était coincée, mais cela ne signifiait pas qu'elle devait entrer dans le petit jeu de Wade.

— Pourquoi voulais-tu partir aussi vite ? demanda ce dernier d'un ton innocent.

— Je sais ce que tu mijotes, marmonna-t-elle en prenant une profonde inspiration. Et je suis parfaitement capable de trouver un homme toute seule, sans l'aide du « Célibataire de l'Année », merci !

— Hé, c'était l'année dernière, fit-il en souriant, sans lâcher son poignet. D'ailleurs, tu ne trouveras pas mieux que Dan. Je lui confierais ma propre sœur... si j'en avais une.

— Bien sûr. C'est ce que tu m'as dit les deux dernières fois aussi.

Elle tenta de se dégager, en vain.

— Dan a toutes les qualités que tu recherches chez un homme, insista-t-il. Il occupe une situation enviable, il est fiable, il veut une grande famille... et il est très raisonnable.

Geneva cilla. Que voulait-il dire par là ?

— Il est mon antithèse parfaite, continua Wade, comme si c'était là un argument décisif.

— Tu m'avais dit qu'Ellis et Cary étaient parfaits pour moi, protesta-t-elle.

— Dan est différent. J'ai grandi avec lui. C'était mon meilleur ami jusqu'à l'université.

Justement, Dan arrivait à leur hauteur, une assiette à la main.

— Vol-au-vent ? proposa-t-il.

Son regard tomba sur la main de Wade, qui tenait toujours le poignet de Geneva. Ce dernier fit mine de resserrer le fermoir du bracelet qu'elle portait.

— Voilà, je crois que cela devrait tenir à présent.

Puis il laissa retomber le bras de Geneva en souriant, et s'écarta légèrement pour laisser place à Dan.

A ce moment-là, Renée passa près d'eux, au bras d'un homme séduisant, et s'arrêta brièvement afin de leur présenter son mari. Geneva baissa automatiquement les yeux sur la main de la jeune femme, où scintillait une magnifique bague en diamant... et une alliance.

Alors que le couple s'éloignait, Renée se pencha discrètement vers elle, désignant Dan d'un haussement de sourcils.

— Meilleur choix. Félicitations.

Elle s'éclipsa avant que Geneva ait eu le temps de réagir. Interdite, celle-ci se rendit compte que Wade avait déjà commencé sa campagne.

— Je disais justement à Geneva que nous avions partagé une chambre à l'université.

Dan se mit à rire.

— La parfaite antithèse ! fit-il, répétant l'expression utilisée par Wade un instant plus tôt. Wade semblait s'être donné pour mission de me corrompre. Et moi, j'essayais de lui donner le bon exemple. Echec total, bien sûr.

Wade jeta un coup d'œil satisfait à Geneva, qui fronça les sourcils. Elle ne comprenait pas. Son instinct l'avait toujours avertie de se tenir à l'écart des hommes instables et volages, et pourtant elle était incroyablement attirée par Wade. Elle avait l'impression qu'un lien existait entre eux, qu'ils partageaient des désirs communs. Mais, de son propre aveu, Wade était exactement le genre d'homme à éviter. C'était presque comme s'il y avait deux Wade, l'un public, l'autre privé, qu'elle n'avait fait qu'apercevoir quand ils avaient été seuls.

Elle se força à reporter son attention sur la conversation. Wade évoquait un thriller qu'on donnait au cinéma local.

— Justement, j'avais envie d'aller le voir, déclara Dan.

— Vraiment ? Pourquoi n'y emmènes-tu pas Geneva ? Elle adore les films effrayants.

— Comment le sais-tu ? demanda-t-elle, stupéfaite, certaine qu'elle ne lui avait jamais confié sa passion pour l'intrigue et le suspense.

— C'était évident, répondit Wade avec un clin d'œil avant de donner une bourrade amicale à Dan. Qu'en dis-tu ?

— Eh bien…

Dan se tourna vers Geneva pour voir ce qu'elle pensait de la suggestion.

— Qu'en dites-vous ?

108

Geneva réprima un soupir. Allons, se dit-elle, il était temps de renoncer à ses rêves et de voir la réalité en face. Malgré elle, elle plongea son regard dans celui de Wade. Etait-ce vraiment ce qu'il désirait ?

Il hocha la tête et haussa un sourcil interrogateur, comme pour lui demander ce qu'elle attendait. Une vague de déception envahit Geneva.

Mais qu'attendait-elle, au juste ? Le prince charmant sur un étalon blanc ? Dan Etheridge était peut-être précisément l'homme qu'il lui fallait.

Elle était devenue proche de Wade, trop proche, surtout après leur étreinte au bord du ruisseau, la veille. Il était dangereux pour elle. Dan lui changerait les idées, lui ferait oublier le sentiment insensé qu'elle avait éprouvé pour Wade.

— Avec plaisir, dit-elle avec un enthousiasme feint.

— Parfait ! s'exclama Wade en se frottant les mains comme s'il venait de conclure un contrat. Parfait !

Dan semblait sympathique. Et il était séduisant, songea-t-elle, appréciant sa carrure d'athlète et ses traits réguliers.

Elle se sentait humiliée d'avoir été rejetée par Wade, mais, après tout, il avait peut-être raison.

Dan était peut-être l'homme idéal.

Si tel était le cas, pourquoi avait-elle l'intime conviction de faire fausse route ?

8.

Il avait pris la bonne décision, se répéta Wade pour la centième fois. Non seulement il ne penserait plus à elle, mais en plus il ferait le bonheur de son meilleur ami.

Debout à l'entrée du jardin, il la regardait étendre du linge sur la corde. Devait-il aller lui parler ? Peut-être avait-elle besoin d'un peu d'encouragement. Après tout, ses deux derniers rendez-vous s'étaient plutôt mal passés, et il la soupçonnait de ne pas être très positive en ce qui concernait le suivant.

Il s'approcha d'elle et plongea la main dans la panière pour lui tendre une petite chemise jaune.

— Tu peux te servir du sèche-linge qui est dans la buanderie, si tu veux, offrit-il.

— Merci, répondit-elle avec un sourire poli, mais je préfère faire sécher le linge au soleil.

Apparemment, elle lui en voulait toujours d'avoir manigancé un autre rendez-vous pour elle. Sans doute devait-il s'estimer heureux qu'elle ait accepté l'invitation de Dan.

Elle sembla sur le point d'ajouter quelque chose, puis se ravisa, et prit le minuscule jean qu'il lui tendait.

Il inspira le léger parfum de citron qui émanait d'elle, et fut envahi par le désir soudain de la prendre dans ses bras et d'enfouir les mains dans ses boucles soyeuses. Au prix d'un effort surhumain, il opta pour un sujet qui ne manquerait pas de rétablir une distance entre eux.

— Es-tu prête pour ton rendez-vous avec Dan ce soir ? demanda-t-il en baissant les yeux sur le short sexy qu'elle portait.

Il espérait que non. Qu'elle choisirait une robe longue.

Minute, se reprocha-t-il. Au contraire, il devait espérer que Geneva éblouisse Dan, qu'ils tombent fous amoureux l'un de l'autre, et qu'il l'emmène dans le Tennessee pour lui faire dix enfants. Et tout le monde serait content.

Enfin, presque tout le monde. Sean serait malheureux de la voir partir. Sous son influence bénéfique, il avait commencé à faire la cuisine, et avait fait des progrès remarquables en ménage. Wade soupira. Quant à lui, il devait s'avouer qu'elle lui manquerait. Et Jacob aussi.

Mais c'était une raison supplémentaire de désirer la réussite de son plan. Si Jacob et elle étaient heureux, et son meilleur ami aussi, il serait ravi.

Assez content.

Enfin, il aurait la satisfaction de savoir qu'il avait accompli son devoir en la présentant à un homme qui pouvait lui donner ce qu'elle désirait. Ce que *lui*, Wade, ne pourrait jamais lui donner.

— Dan ne sera pas là avant deux heures au moins, répondit-elle.

— Veux-tu que je garde Jacob ?

— Merci, mais ce n'est pas nécessaire. Il va aller chez ma mère.

111

La panière était presque vide à présent, et Geneva avait commencé à épingler des chaussettes sur la corde.

— Tous les œufs ont éclos, observa-t-elle. Les oisillons ne vont pas tarder à quitter le nid.

Wade acquiesça.

— Je suppose que cela va faciliter tes futures sorties. Remarque, ce sera inutile si Dan et toi décidez de vous marier.

Geneva ramassa la panière et la glissa sous son bras tout en plongeant son regard dans le sien.

Il n'aurait peut-être pas dû faire cette dernière remarque, songea-t-il. C'était sans doute un peu prématuré.

— Pourquoi te donnes-tu tant de mal pour te débarrasser de moi ?

— Comment cela ? s'écria-t-il, feignant l'innocence.

Les mains de Geneva se crispèrent sur l'osier.

— Que tu le veuilles ou non, quelque chose s'est passé entre nous l'autre soir, et cela ne va pas disparaître aussi facilement.

Wade sentit ses épaules s'affaisser. Il avait espéré qu'elle ne devinerait pas combien il était affecté, et qu'ils pourraient faire comme si de rien n'était. Mais Geneva était intelligente et sincère. Dans ces circonstances, comment pouvait-il la persuader que son avenir était avec Dan, que ce dernier pouvait lui apporter le bonheur qu'elle méritait ?

Il lui prit la panière et la guida vers le banc. Elle le dévisagea avec curiosité et s'assit à côté de lui.

— Quand j'étais petit, j'étais allergique aux fraises, raconta-t-il. Chaque fois que j'en mangeais, j'avais des plaques rouges sur le ventre, mais je ne voulais pas y renoncer.

112

Elle fronça les sourcils.

— Pourtant, il a fallu que j'y renonce, parce que j'aurais pu finir par avoir de graves complications, reprit-il en posant une main sur le poignet de Geneva. Ce que je veux dire, c'est qu'en un sens c'est la même chose entre toi et moi.

Geneva se dégagea.

— Tu veux dire que je représente une complication pour toi ?

— Non, pas du tout.

Wade hésita, conscient qu'il s'embrouillait dans ses explications.

— Dans la clairière, l'autre soir...

— ...tu as pensé à ton allergie aux fraises, complétat-elle avec ironie.

Il demeura silencieux un long moment. Avec d'autres femmes, il aurait facilement pu jouer le rôle du playboy, prétendre qu'il ne voulait pas se consacrer à une seule femme. Il y aurait eu moins de questions. Mais il ne pouvait procéder ainsi avec Geneva. Elle méritait la vérité.

— Je me suis souvenu que je ne voulais pas d'enfants, dit-il doucement.

Elle accusa le coup, comme s'il l'avait frappée.

— Tu ne veux pas de Jacob, dit-elle froidement.

— Jacob est adorable. Je serais fier d'être son père.

Décontenancée, Geneva baissa les yeux.

— Je ne comprends pas.

Il allait devoir tout lui expliquer, comprit-il. Lui révéler l'histoire qu'il avait commencée l'autre soir au bord du ruisseau.

Après quoi, elle pourrait sortir avec Dan l'esprit libre et le cœur disponible. Il la perdrait, mais au moins son meilleur ami les aimerait, Jacob et elle, comme ils méritaient d'être aimés. Ils seraient heureux.

— Le syndrome de Joubert est une maladie héréditaire.

Elle hocha la tête, attendant la suite.

— Il est possible que je sois porteur du gène qui est à l'origine de la maladie.

— Pourquoi ne passes-tu pas des tests ? J'imagine qu'on peut déterminer si c'est le cas ou non.

Sa voix était calme et empreinte de sollicitude. Une sollicitude qui rendait plus dangereuse chaque minute passée avec elle. Il ne pouvait pas courir le risque de tomber amoureux d'elle.

Enfin, plus amoureux qu'il ne l'était déjà...

— Non. C'est une maladie dont on ne sait pas grand-chose. Les scientifiques n'ont pas encore isolé le gène responsable.

Il prit une profonde inspiration, admettant ce qu'il n'avait jamais osé dire à voix haute depuis la naissance de son frère.

— Je ne peux pas prendre le risque d'avoir des enfants.

Elle détourna les yeux, suivant du regard l'oiseau qui voletait de branche en branche avant de se poser sur la couronne. Quand elle se retourna vers lui, son visage était grave.

— La vie est pleine de risques. Chaque parent sait qu'il est possible que son enfant ne soit pas parfait.

Elle désigna le nid d'un geste.

— Cela pourrait même arriver à ces oiseaux. Mais tu sais quoi ? Ils l'élèveraient de toute façon. Et ils l'aimeraient tout autant que leurs autres bébés. Es-tu en train de me dire que tu n'es pas aussi courageux que ces petites mésanges ?

— Si j'avais un enfant, il est probable qu'il serait lourdement handicapé... sans doute plus que Sean.

Il gratta distraitement un peu de peinture écaillée sur la table.

— Pour répondre à ta question, oui, j'aimerais cet enfant. C'est exactement la raison pour laquelle je ne veux pas mettre au monde un enfant qui aurait autant d'épreuves à surmonter.

Il tendit la main vers elle, lui pressant l'épaule, désireux de lui faire comprendre qu'il n'agissait pas par égoïsme. Au contraire. N'était-il pas prêt à sacrifier l'amour qu'elle pourrait lui apporter, le bonheur qu'il aurait eu à être le père de Jacob ?

— C'est pourquoi j'ai décidé de ne pas épouser une femme qui désire des enfants.

Les yeux étincelants de colère, Geneva croisa les bras.

— Je ne te crois pas, Wade.

Il se leva et fit les cent pas autour de la table avant de se retourner vers elle.

— Je ne mens pas, dit-il calmement.

— Je ne t'accuse pas de mentir, rétorqua-t-elle, toujours assise. Je pense que tu te sers de cette maladie comme d'un prétexte pour ne pas t'engager.

Elle se pencha vers lui, comme pour le mettre au défi de la contredire.

— Je crois que tu as peur.

Wade demeura immobile. Un oiseau moqueur chanta tout près, faisant écho aux reproches de Geneva.

— Si tu n'avais pas peur d'établir une relation stable avec une femme, dit-elle en se levant, tu admettrais qu'il y a toujours la possibilité d'adopter des enfants.

Elle soutint son regard tandis que les secondes s'écoulaient. Elle comprendrait qu'il soit furieux contre elle. De quel droit lui parlait-elle ainsi ? Il ne lui avait rien promis, n'avait jamais laissé entendre qu'il puisse y avoir une relation durable entre eux.

Pourtant, elle se sentait liée à lui comme elle ne s'était jamais sentie liée à aucune autre personne. Et elle savait qu'il éprouvait le même sentiment envers elle. Et qu'il en avait peur, plus qu'elle-même n'en avait peur.

Il la dévisagea avec une intensité qui la bouleversa.

— Pas pour toi, dit-il simplement.

Elle baissa la tête, incapable de faire face à l'expression tendre et compréhensive qu'elle lisait sur son visage. Quiconque la connaissait savait qu'elle désirait avoir d'autres enfants. N'avait-elle pas avoué à Wade qu'elle avait aimé être enceinte et qu'elle espérait renouveler l'expérience ? Il n'était guère surprenant qu'il en ait conclu qu'une relation avec elle serait vouée à l'échec.

Elle ne doutait pas d'être capable d'aimer un enfant de lui, handicapé ou non. Mais elle devait se rendre à l'évidence. Wade ne pouvait l'accepter telle qu'elle était… une femme déterminée à avoir une famille.

Son bon sens lui disait depuis le début qu'il était déraisonnable d'espérer construire un avenir avec lui. Et à présent, son cœur acceptait la défaite.

Il posa une main sur son épaule.

— Si tu veux, je peux passer devant le cinéma ce soir pour m'assurer que tout va bien avec Dan.

Il voulait détendre l'atmosphère. Tout en lui rappelant qu'elle devait aller de l'avant, et reporter son affection sur un autre. N'était-ce pas précisément ce qu'elle avait résolu de faire en acceptant l'invitation de Dan ?

— Non, c'est inutile, répondit-elle d'une voix ferme. Je suis sûre que tout ira bien entre nous.

Elle s'y emploierait de toutes ses forces.

Assis dans le fauteuil de la salle à manger, Wade jeta un coup d'œil nerveux à sa montre, guettant l'arrivée de la voiture de Dan. Le film était terminé depuis plus d'une heure, et la nuit tombait rapidement. Il était certain que Dan était un parfait gentleman, mais il s'était attendu à ce qu'il ramène Geneva plus tôt.

La pénombre régnait dans la pièce à présent, mais Wade avait préféré ne pas allumer la lumière. Il resterait là jusqu'à ce qu'elle soit rentrée, décida-t-il, puis s'en irait discrètement. Il était inutile qu'elle sache qu'il s'inquiétait à son sujet. Et si elle n'était pas de retour dans une demi-heure, il partirait à sa recherche.

Soudain, il entendit une portière claquer.

Daniel Etheridge contourna la voiture et lui tint la portière pendant qu'elle descendait. Il était indéniablement un des hommes les plus charmants que Geneva ait rencontrés. Comme il lui prenait le bras pour la raccompagner à sa porte, elle dressa intérieurement la liste de ses qualités.

Il était intelligent. Gentil. Patient. Il occupait un poste à responsabilité dans la firme de son oncle, firme qu'il était destiné à diriger lui-même un jour prochain. Il était sportif et en bonne santé... bref, il possédait toutes les qualités nécessaires à un père de famille.

De plus, Geneva et lui avaient des intérêts en commun. Et surtout, Dan espérait se marier et avoir une grande famille. Il était parfait pour elle.

Elle monta sous la véranda, évitant la planche qui grinçait au cas où Wade se serait couché de bonne heure. Oui, Dan était l'homme de ses rêves. Un peu sérieux, peut-être, mais merveilleux tout de même.

Alors qu'ils approchaient de la porte, il lui lâcha le bras et se tourna pour lui faire face. Il était vraiment séduisant, songea-t-elle. Il allait l'embrasser, et elle était certaine qu'il allait se conduire en parfait gentleman. N'était-il pas parfait à tous points de vue ?

Dommage qu'il n'y ait pas d'étincelle entre eux.

Geneva inclina la tête en arrière. Peut-être le baiser de Dan lui ferait-il oublier l'homme qui occupait son esprit ? Quand Dan l'embrassa, ce fut comme elle s'y attendait. Parfait. Ni trop doux, ni trop exigeant.

Parfait.

Et pourtant, non.

Pas la moindre étincelle.

C'était sa faute, se reprocha Geneva. Peut-être n'avait-elle pas fait assez d'efforts ? Elle noua les bras autour du cou de Dan, pressant fermement ses lèvres sur les siennes. Elle se rappela les baisers que Wade et elle avaient partagés et tenta de renouveler l'expérience avec une ferveur qui aurait suffi à donner le vertige à n'importe quel homme.

Dan, momentanément surpris par la passion soudaine de Geneva, accepta volontiers ses efforts méritoires.

Toujours rien.

C'était inexplicable. Ils avaient des tas de choses en commun. Il embrassait bien. Et elle *voulait* tomber amoureuse. Peut-être fallait-il persévérer ?

— Voulez-vous vous asseoir sous la véranda un moment ? proposa-t-elle.

Il acquiesça et la rejoignit sur la balancelle, où ils reprirent leur... conversation. Dan la prit dans ses bras, et ils s'embrassèrent de nouveau.

Un long moment s'écoula. Et le baiser prit fin sans le moindre feu d'artifice.

Absolument rien.

Dan leva la tête.

— Ça ne marche pas pour vous non plus, n'est-ce pas ?

— C'est peut-être une question de technique ? Si nous essayions...

— Cela ne servira à rien, affirma-t-il en se renfonçant sur le siège.

— Mais nous formons un couple idéal ! Nous nous intéressons aux mêmes choses, nous désirons tous deux une grande famille, et nous sommes tous deux affreusement traditionnels !

— Oui, mais il y a une grande différence.

— Laquelle ?

— L'un de nous deux est amoureux de Wade.

La réponse de Geneva, prompte et décisive, résonna comme un coup de feu dans le silence de la nuit.

— Non !

Wade avait entendu des pas résonner sous la véranda, ce qui aurait dû le décider à aller se coucher. Mais la chambre était le dernier endroit où il ait envie d'aller alors qu'il avait la tête pleine de Geneva.

Il se leva et fit les cent pas dans la pièce, réprimant l'envie de les espionner à travers les rideaux.

D'ailleurs, il faisait trop sombre.

Il tressaillit en entendant le grincement de la balancelle, s'efforçant de ne pas penser à ce que ce bruit signifiait. Fermant les yeux, il tenta de se calmer. Il devrait se réjouir que Dan et Geneva se plaisent, songea-t-il.

La mort dans l'âme, Wade résolut de s'éloigner et se dirigeait vers le couloir quand il entendit Geneva crier.

Son sang ne fit qu'un tour. Il ouvrit la porte à toute volée, alluma l'interrupteur et s'avança d'un pas ferme sous la véranda, déterminé à intervenir si nécessaire, meilleur ami ou pas.

Il s'arrêta net, poings serrés et mâchoire crispée, en les voyant. A sa grande surprise, Dan ne parut pas s'émouvoir de sa présence. Au contraire, il éclata de rire.

— Vous voyez ? dit-il à Geneva.

Elle demeurait immobile, les yeux fixés sur lui comme si elle le voyait pour la première fois. Comme si elle venait de comprendre un fait stupéfiant.

— Geneva ?

Oubliant la présence de Dan, Wade s'agenouilla devant elle et prit ses mains dans les siennes.

— Tout va bien ?

Elle cilla et parut revenir à la réalité. Puis elle lui adressa un sourire.

Un sourire éclatant, radieux, magnifique.

— Qu'y a-t-il ? Que se passe-t-il ? demanda-t-il, envahi par l'angoisse.

— Je vais te le dire, mon vieux, fit Dan en lui tapant gaiement sur l'épaule. Non seulement tu es aveugle, mais tu fais un sacré marieur !

9.

Geneva grimpa sur la solide table en chêne et arrangea le tissu autour de ses jambes. Les robes des demoiselles d'honneur avaient été un jeu d'enfant, mais celle de la mariée, en revanche, était une tout autre affaire.

Elle s'examina dans la vaste glace qu'elle avait mise au mur pour créer une impression d'espace, et fronça les sourcils en voyant le corsage former des plis sur les côtés. Pour comble de malchance, le taffetas semblait accentuer le défaut.

Elle devait absolument trouver le moyen d'y remédier, songea-t-elle, préoccupée. C'était sa première commande pour un membre du Country Club, une personne connue pour son franc-parler, d'après Wade, grâce à qui elle avait obtenu ce contrat. Si la cliente était satisfaite, il était probable qu'elle recommanderait Geneva autour d'elle. Si elle était mécontente, Geneva pouvait dire adieu à ses espoirs de s'établir comme modéliste à Kinnon Falls...

Wade rajusta sa cravate et entra dans le salon en passant par le garage. Ce matin, il présenterait un chèque

122

à l'hôpital pour enfants. Le bal avait été un succès remarquable, et les fonds collectés contribueraient largement à l'achat d'appareils sophistiqués pour le dépistage des maladies des nourrissons. Il espérait que la technologie ultramoderne réduirait le risque de diagnostic erroné et permettrait un traitement plus rapide et plus efficace des enfants malades.

Remarquant que la porte de communication entre l'appartement de Geneva et le sien était restée ouverte, il changea de direction afin d'aller la refermer. Ces derniers jours, elle avait paru soucieuse de maintenir une séparation entre eux, évitant au maximum de traverser son appartement.

Les oisillons n'allaient pas tarder à quitter le nid, songea-t-il. Entre-temps, il ferait tout son possible pour respecter son intimité...

Et garder ses distances. Il se répétait constamment qu'elle désirait se marier. Pour autant qu'il en sache quelque chose, elle finirait peut-être par épouser son meilleur ami... à supposer, bien sûr, que c'était ce que Dan avait laissé entendre quand il l'avait traité de « sacré marieur ».

Il s'approcha de la porte, et s'arrêta net en apercevant une silhouette vêtue de blanc. Debout sur la table du salon, drapée du tissu immaculé, Geneva ressemblait à une déesse sur son piédestal. Hormis deux minces bretelles, ses épaules étaient dénudées, attirant l'attention sur le corsage lâche qui laissait deviner des trésors cachés. Le jupon épousait délicatement ses hanches avant de s'évaser autour d'elle, retombant en une flaque blanche à ses pieds.

Wade demeura immobile, l'estomac noué, conscient qu'il n'aurait pas dû rester là à observer Geneva à son insu, et pourtant incapable de détourner les yeux. Il réagissait d'une manière totalement inappropriée envers la future femme de son meilleur ami, se reprocha-t-il, prenant soudain conscience qu'elle portait une robe de mariée.

Dan et elle n'en étaient pas déjà à ce stade, sûrement ! A moins que... Irrité par cette pensée, il appuya involontairement sur la poignée de la porte, qui grinça légèrement.

Geneva se retourna, ses cheveux tombant en cascade dans son dos.

— Oh ! C'est toi, Wade !

Il fronça les sourcils.

— Tu attendais quelqu'un d'autre ?

— A vrai dire, quand j'ai entendu du bruit, j'ai automatiquement pensé que c'était Jacob, dit-elle en souriant. J'ai tellement l'habitude de l'avoir à la maison que je le cherche partout, même quand il est à la crèche !

Avec un peu de chance, elle aurait bientôt une demi-douzaine d'enfants autour d'elle, songea-t-il amèrement. Et tous ressembleraient à Dan. Il serra les dents.

— Je suis désolé de t'avoir dérangée, murmura-t-il en faisant mine de partir.

Elle l'arrêta d'un geste.

— Pourrais-tu me rendre un service ? demanda-t-elle en se retournant vers la glace.

Il était prêt à tout faire pour elle. Tout, sauf ce qu'elle désirait le plus au monde...

— Bien sûr.

— Aide-moi à tenir cette robe.

Wade s'avança lentement, conscient qu'il jouait à un jeu dangereux. Chaque fois qu'il était près d'elle, son bon sens le désertait et il oubliait qu'ils n'étaient pas faits l'un pour l'autre.

Il devait partir avant de laisser son regard s'attarder sur ses épaules lisses, sur sa silhouette menue et délicate. Il feignit de consulter sa montre, s'assurant qu'elle avait surpris son geste dans la glace.

— J'ai un rendez-vous, expliqua-t-il.

— Il n'y en a que pour une minute.

Elle ne savait pas à quel point elle avait raison. Il ne lui faudrait qu'une minute pour succomber au charme de son parfum vanillé, et vouloir prendre possession de ses jolies lèvres si tentantes.

— Je veux seulement que tu tiennes le tissu dans mon dos, de manière à ce que le corsage soit bien serré.

Mais il devrait la toucher ! songea-t-il, la bouche sèche.

Geneva se tourna et lui offrit son dos, relevant ses cheveux d'une main pour lui permettre de prendre le tissu plus facilement. Une pensée le traversa de façon fulgurante : Geneva aurait fait exactement le même geste s'ils avaient été dans leur chambre et qu'il soit sur le point de lui retirer sa robe avant de faire l'amour.

Il se pencha vers elle, songeant qu'il aurait besoin de toute sa maîtrise pour ne pas la prendre dans ses bras et la couvrir de baisers. D'une main hésitante, il resserra les pans du tissu, et eut l'impression d'avoir reçu une décharge électrique.

Avait-elle ressenti la même chose ? La table oscilla légèrement et Geneva rétablit d'instinct son équilibre en posant la main sur son épaule. Elle tremblait. Il aurait

125

dû la lâcher, mais il demeurait paralysé sur place. Elle le regardait, les lèvres entrouvertes, comme si elle espérait le baiser qu'il brûlait de lui donner.

Au prix d'un immense effort sur lui-même, il détourna les yeux, s'interdisant de penser à la courbe délicieuse de ses hanches.

— Cendrillon rêve de nouveau ?

Les doigts de Geneva se détendirent sur son épaule, tandis qu'elle poussait un léger soupir.

— Je sais que c'est insensé, mais je ne peux pas m'empêcher de rêver d'un mariage de conte de fées.

Elle lui lâcha le bras, palpant le pli du tissu sous son sein.

— Ces coutures font des plis, et la mariée ne peut pas porter une robe bâclée pour le plus beau jour de sa vie.

— Ne peux-tu les défaire et les recoudre ?

Geneva se tourna et lui sourit patiemment.

— Malheureusement non. Ce genre de reprise ferait apparaître les points de façon trop visible.

Wade plongea son regard dans le sien, devinant que sa frustration dépassait de loin le cadre de la robe.

— On dirait que tout ce que j'entreprends est voué à l'échec, reprit-elle sur un ton accablé. Je viens habiter ici, et, presque aussitôt, un couple de mésanges m'empêche de vivre normalement. J'essaie de trouver un papa pour Jacob, et je rencontre un homme totalement dénué d'humour et un goujat.

Elle laissa retomber ses bras en un geste résigné.

— Je ne sais pas, poursuivit-elle. Tout vient peut-être de moi. J'ai peut-être un gros défaut dont je ne suis pas consciente. Ou alors, je suis trop aveugle pour me rendre compte que l'homme idéal n'existe pas pour moi.

Wade s'approcha et prit ses mains dans les siennes.

— Tu es parfaite comme tu es, dit-il sincèrement. N'essaie pas de te changer pour quiconque. Quant à l'homme idéal...

Il lui pressa la main et lui sourit.

— ... il est peut-être juste sous ton nez.

La pousser ainsi dans les bras de Dan, fût-il son meilleur ami, déchirait le cœur de Wade. Jamais il ne connaîtrait le bonheur après avoir rejeté cette femme merveilleuse, mais si elle pouvait être heureuse avec Dan, son sacrifice en valait la peine.

— Tu n'es pas le genre de femme à attendre patiemment le prince charmant. S'il y a un problème, il faut que tu l'identifies et que tu trouves la solution.

Après tout, quel défaut pouvait-elle bien avoir trouvé en Dan ? se demanda-t-il. Il ne pouvait s'agir que d'une broutille.

— Un problème mineur ne doit pas t'empêcher de chercher le bonheur auprès d'un homme qui te convient, ajouta-t-il en levant les yeux vers elle. L'amour est trop important pour que tu le rejettes à cause d'un détail.

Geneva retint son souffle. Avait-elle bien entendu ? Lui disait-il de ne pas renoncer à lui ? Elle se souvint de ce que Dan lui avait affirmé la veille au soir. D'après lui, l'attitude protectrice de Wade prouvait qu'il l'aimait.

Wade était un homme fier, un homme qui avait lutté pour se forger une carapace, et maintenant lui demandait son aide pour la détruire. La tête inclinée vers elle, il paraissait sur le point de lui demander sa main.

— Il faut que les deux personnes cherchent un compromis, poursuivit-il.

Il captura de nouveau la main de Geneva, la pressant sur son cœur, puis la gardant entre les siennes un long moment… si long qu'elle crut qu'il allait lui embrasser les doigts. Mais il n'en fit rien.

— Peut-être as-tu besoin de faire le premier pas. Y es-tu prête ?

Ignorant la petite voix qui l'avertissait de garder ses distances avec lui, Geneva répondit par un hochement de tête silencieux. Si deux personnes s'aimaient et étaient résolues à surmonter les obstacles qui se trouvaient sur leur chemin, pourquoi ne pourraient-elles y parvenir ?

Chaque fois que Jacob rentrait à la maison après une sortie, il se mettait à la recherche de Wade, et cela, avant de jouer ou de goûter. Il allait de pièce en pièce en criant son nom, et, le plus souvent, ce dernier surgissait derrière une porte pour le soulever dans ses bras tandis que l'enfant poussait des cris ravis.

Et Geneva rêvait d'être à la place de Jacob, virevoltant gaiement dans les bras de Wade.

— Tu as raison. Je ferai le premier pas, dit-elle enfin, avant de plonger son regard droit dans le sien. M'aideras-tu ?

— Bien sûr, répondit-il sans hésiter. Je serai toujours là pour toi.

Elle ne désirait pas davantage. Il venait de lui promettre de faire la moitié du chemin. Alors qu'elle s'apprêtait à descendre de la table, Wade mit la main sur sa taille pour l'aider. Un jour, si tout se déroulait comme elle l'espérait, il la tiendrait par la taille de la même façon, l'attirant à lui pour l'embrasser, et célébrer leur mariage.

— J'espère seulement ne pas faire de faux pas.

— Ne t'inquiète pas, fit-il en la relâchant. Je suis sûre que tu ne me décevras pas.

Elle se tint devant lui, regrettant de ne pas avoir le courage de faire le premier pas immédiatement en scellant leur pacte d'un baiser. Mais la posture de Wade ne l'y invitait pas, ce qui la surprit après la discussion à cœur ouvert qu'ils venaient d'avoir. Ne s'étaient-ils pas promis de persévérer dans leur relation ?

Un silence gêné s'installa, creusant un fossé si inattendu entre eux qu'elle éprouva le besoin de remplir par des paroles... des paroles neutres.

— J'aimerais qu'il soit aussi facile de résoudre le problème de cette robe, soupira-t-elle. Peut-être devrais-je la jeter et recommencer de zéro.

— Il n'y a aucune raison de faire cela, protesta Wade. Transforme ces coutures en quelque chose qui soit joli, c'est tout !

Sur quoi, il lui lança un coussin brodé pris sur le canapé, et, avec un sourire, se dirigea vers la porte.

Serrant le coussin sur son cœur, elle traversa la pièce et le regarda prendre son attaché-case. Il se rendait à l'hôpital, se souvint-elle. Quand Cherie et Renée l'avaient avertie que Wade ne désirait qu'une seule chose, elles faisaient allusion aux dons qu'il collectait pour la recherche et le matériel médical nécessaire au dépistage des maladies congénitales.

Et s'il avait fait usage de ses charmes auprès de nombre de femmes riches de Kinnon Falls, ce n'était pas dans le but de les séduire. Son seul objectif avait été d'aider les enfants qui, comme son frère, avaient eu la malchance d'hériter de leurs parents un gène porteur d'un handicap.

En dépit de leurs différences apparentes, Wade et elle avaient beaucoup en commun, songea-t-elle. Mais comment pouvait-il la quitter si brusquement, après les progrès qu'ils avaient accompli en quelques instants ? Il venait de lui offrir la possibilité de sauver leur relation, et maintenant il s'en allait comme si de rien n'était !

A moins que… ce ne soit un test. Peut-être l'encourageait-il à faire le premier pas dès maintenant. Peut-être voulait-il savoir si elle était prête à lutter pour avoir une relation avec lui ?

Bien sûr qu'elle l'était ! Le fait qu'il ne pouvait avoir d'enfant était le seul obstacle. C'était à elle de gérer la situation. A quoi bon attendre plus longtemps ?

Elle posa le coussin sur le canapé et le suivit dans le salon, où il vérifiait le contenu de son attaché-case. Geneva se racla la gorge. Quand il leva vers elle ses yeux émeraude, elle rassembla son courage et résolut d'aborder le sujet sans détour.

— Tu m'as dit une fois que tu ne pouvais m'aimer comme j'avais besoin d'être aimée, commença-t-elle avec hésitation. Mais tu avais tort.

Il referma l'attaché-case et se redressa.

— Quand tu t'es précipité sous la véranda après mon rendez-vous avec Dan, j'ai compris que…

— J'ai toujours été protecteur envers les autres, coupat-il en s'éloignant brusquement, comme pour rejeter à l'avance ce qu'elle allait lui dire. Trop, peut-être. Sean te le dira.

130

— Ce n'est pas cela qui t'a poussé à intervenir, protesta-t-elle. Je veux parler des sentiments qui existent entre nous. C'est ainsi que j'ai besoin d'être aimée.

Il secoua la tête. Ses doigts se crispèrent sur la poignée de la mallette.

— Tu sais que ce n'est pas ce que je voulais dire.

— Cela n'a pas d'importance, répondit-elle en faisant un pas vers lui tandis qu'il reculait. Tu as dit toi-même que nous formions un couple parfait. Que nous pouvions surmonter un problème, comme le gène dont tu es porteur, si nous sommes prêts tous deux à faire des sacrifices.

Wade posa l'attaché-case sur le sol et se passa une main sur le menton, les traits tendus.

— Je parlais de Dan et de toi, dit-il sans lever les yeux vers elle. Il peut être un peu rigide parfois, mais si vous faites des compromis, vous serez très heureux ensemble.

Il plongea son regard dans le sien.

— Je n'ai jamais vu deux personnes mieux assorties que vous deux.

Geneva sentit un frisson la parcourir tout entière tandis que les paroles de Wade se gravaient dans son cœur. Il ne l'avait pas encouragée à lutter pour leur relation, à se battre pour surmonter l'obstacle qui s'élevait entre eux et le bonheur. Non. Une fois de plus, il la repoussait, la précipitait dans les bras d'un autre homme.

Elle prit une profonde inspiration. Il avait beau le nier, elle avait vu ses yeux étinceler quand il avait fait irruption sous la véranda tel un preux chevalier volant au secours de sa damoiselle en détresse. Il l'avait taquinée au sujet de ses rêves, sans comprendre qu'il était l'incarnation de ses plus profonds désirs. Et, comme toute princesse digne de ce nom, elle ne laisserait pas ce noble chevalier partir sans avoir lutté contre les deux dragons qui les menaçaient : la question des enfants, et l'impossible obstination de Wade.

— Dan est quelqu'un de très bien, dit-elle, mais ce n'est pas lui que je veux. C'est toi.

Wade s'approcha et lui prit doucement les bras.

— Mais tu veux aussi des enfants.

Le seul obstacle à leur bonheur à tous les deux, à tous les trois, corrigea-t-elle intérieurement — car Jacob adorait Wade —, était la réticence de ce dernier à prendre le risque d'avoir des enfants. Ainsi qu'il le lui avait conseillé, elle ferait le premier pas vers un compromis.

— Je te veux, toi, plus que je ne veux des enfants.

Ses yeux verts s'assombrirent, prenant la couleur des pins en hiver. Il était évident qu'il comprenait sa suggestion. Elle était prête à faire des sacrifices pour sauver leur relation, et il ne semblait pas s'en réjouir.

Il la lâcha et enfonça les mains dans ses poches, comme pour signifier qu'il s'éloignait d'elle.

— Nous avons déjà parlé de cela.

Visiblement, il n'avait pas changé d'avis sur la question.

— Tu as un instinct maternel très développé, poursuivit-il, et tu ne seras jamais heureuse si ta maison n'est pas pleine de bambins qui te ressemblent.

Elle baissa la tête, lissant des plis imaginaires sur la robe blanche. Wade l'observa, sachant qu'elle ne pouvait affirmer le contraire. Une fois de plus, il l'avait fait souffrir, songea-t-il. Mais c'était pour son bien. Pour leur bien à tous.

132

Il prit son attaché-case et se dirigea vers la porte, refusant de voir la douleur qui se lisait sur les traits de Geneva. Il s'arrêta un instant sur le seuil, cherchant la force de délivrer le coup de grâce.

— Il vaudrait sans doute mieux qu'à partir de maintenant nous entretenions des rapports strictement professionnels.

— N'oublie pas de faire dorer la viande avant de la mettre dans la cocotte.

Sean joignit les mains en un geste impatient.

— Je sais, répondit-il en désignant le livre ouvert sur la table. C'est écrit dans la recette.

Geneva s'excusa d'un sourire. Dans son empressement à l'aider, elle ne s'était pas rendu compte qu'il n'avait pas encore fait dorer le bœuf parce qu'il était toujours occupé à éplucher méthodiquement les pommes de terre. Soucieuse de le laisser travailler à son rythme, aussi lent soit-il, Geneva se contenta de lui donner un conseil.

— La prochaine fois que tu feras du potage, dit-elle en s'emparant d'un couteau, donne-toi un temps de préparation plus long.

Sean lui décocha un sourire charmant, qui lui rappela celui de son frère.

— Pensez-vous qu'il y en aura assez pour nous quatre ? demanda-t-il.

Il avait invité Geneva et Jacob à venir dîner avec Wade et lui, ce qui allait à l'encontre du souhait de Wade de maintenir une relation purement professionnelle entre eux, mais elle n'avait pas eu le cœur de refuser. Sean était doué pour la cuisine, et elle voulait l'encourager dans ses efforts d'indépendance.

— Bien sûr. Jacob mange très peu. D'ailleurs, tu peux faire cette quantité même si tu es seul. Le potage est toujours délicieux le lendemain.

Sean acheva d'éplucher sa pomme de terre et, sans rien dire, prit celle de Geneva, indiquant clairement par là qu'il désirait préparer le dîner sans l'aide de quiconque. Elle soupira et se résigna à mettre un peu d'ordre dans la cuisine, rangeant au fur et à mesure les objets dont il n'avait plus besoin.

Elle dépliait une feuille de journal afin d'y mettre les épluchures quand une photo en couleur lui sauta aux yeux. Geneva poussa une exclamation étouffée en se reconnaissant au premier plan, dans les bras de Wade. Elle baissa les yeux sur le commentaire.

« Sur la piste, Wade Matteo danse avec sa nouvelle dame de cœur, Geneva Johnson. Sera-t-elle l'heureuse élue qui mettra fin à sa carrière de play-boy, ou seulement un nom de plus sur la liste légendaire de ses conquêtes ? Les rumeurs vont bon train à Kinnon Falls... »

Geneva cessa de lire et se laissa tomber sur la chaise en face de Sean, consternée par la photo et les sous-entendus de l'article. Aux yeux du journaliste, il était clair que Wade Matteo avait trouvé une nouvelle distraction, mais qu'il était peu probable que la relation soit sérieuse. Chacun savait combien Wade tenait à sa liberté.

En revanche, la réputation de Geneva risquait fort d'être affectée par cette publicité. Elle se félicita intérieurement que son nom ait été mal orthographié. Quoi qu'il en soit, son visage apparaissait nettement sur la photo, ce qui voulait dire qu'elle serait aisément reconnue dans le voisinage.

Pire encore, cet article confirmait ses craintes. Wade ne renoncerait pas à son indépendance pour elle, ni pour aucune autre femme. Pas avant une bonne dizaine d'années. Et même si elle avait voulu rencontrer quelqu'un d'autre, l'article suffirait sans doute à décourager précisément le genre d'homme qu'il lui fallait.

Mais elle ne voulait personne d'autre. Elle voulait Wade, l'homme qu'elle aimait.

Et qui lui refusait la chance d'être heureuse.

Une boule se forma dans sa gorge, tandis que la rougeur montait à ses joues.

— Regarde ! fit Jacob en faisant rouler ses voitures en plastique par terre, simulant une collision.

Geneva lui sourit, s'efforçant de se ressaisir. Satisfait d'avoir obtenu son attention, le bambin retourna à son jeu, et elle se remit à nettoyer la table. Elle ne pleurerait pas, se promit-elle. Pas pour un homme dont elle avait su dès le départ qu'il tenait à son statut de célibataire. Même si, dans d'autres circonstances, il aurait pu lui donner le bonheur dont elle rêvait depuis si longtemps.

Les souvenirs défilèrent devant ses yeux. Wade lui avait donné sa clé pour protéger un nid de mésanges. Il l'avait réconfortée quand elle avait cru Jacob perdu. L'avait sauvée des griffes du docteur. Lui avait amené des commandes.

Les larmes lui montèrent aux yeux.

Elle enveloppa les épluchures dans le papier journal et se leva pour les jeter. Sean posa une main sur son poignet tremblant.

— Vous n'êtes pas obligée de me tenir compagnie, dit-il de sa voix lente et hésitante. Je vous appellerai quand le dîner sera prêt.

Geneva réfléchit à ces paroles en sortant de la cuisine. Non seulement Wade avait été trop protecteur en lui demandant de surveiller Sean, il avait aussi sous-estimé la capacité de son frère à mener une vie indépendante. Certes, c'était une bonne chose qu'ils vivent à proximité l'un de l'autre et que Wade ait pu lui trouver auprès de Sean un emploi qu'elle aimait. Mais il n'avait certainement pas besoin d'être materné en permanence.

Sean voulait se débrouiller seul, son frère tenait plus que tout à sa liberté, et elle était prête à leur donner à tous deux ce qu'ils désiraient. Ouvrant le couvercle de la poubelle, elle jeta un dernier coup d'œil au couple souriant sur la photo et prit sa décision. Le tas d'épluchures tomba dans le récipient avec un bruit sourd.

Elle rentra à l'intérieur et pria Jacob de rassembler ses jouets.

— Nous rentrons. A tout à l'heure, Sean, dit-elle avec une gaieté forcée. Je suis sûre que le potage sera délicieux.

Il sourit et prit la dernière pomme de terre à éplucher tandis qu'elle se dirigeait vers l'appartement de Wade, qu'elle devait traverser pour gagner le sien. L'atmosphère risquait d'être un peu tendue au dîner, mais tant pis. Elle serait heureuse de fêter la réussite de Sean, d'autant plus que ce serait sa dernière rencontre avec les deux frères.

Comme elle franchissait le seuil de la maison principale, elle se heurta à Wade, et dut s'agripper à lui pour

136

retrouver son équilibre. Ils chancelèrent tous deux, et Geneva sentit un vertige l'envahir.

Wade se pencha et donna une bourrade à Jacob.

— Quelque chose sent bon.

Il la regardait en disant cela, et Geneva se demanda s'il parlait d'elle. Sean n'avait pas encore fait cuire la viande, et il était peu probable que Wade parle du dîner. Néanmoins, elle feignit de se méprendre sur sa remarque.

— Sean fait la cuisine, dit-elle d'un ton détaché. Il nous appellera quand tout sera prêt.

Pensif, Wade se frotta le menton.

— Tu ne vas pas voir comment il s'y prend ?

Geneva prit Jacob par la main, sachant que ce contact avec son fils la conforterait dans sa décision. Il valait mieux que son fils et elle s'en aillent le plus tôt possible, avant qu'ils ne soient trop attachés à ces lieux... et aux hommes qui les occupaient.

— Sean n'a pas besoin de moi, déclara-t-elle, espérant que Wade comprendrait qu'elle ne parlait pas seulement de ce soir, mais de sa vie en général.

Il fit mine de protester, mais elle l'interrompit d'un geste.

— Toi non plus, d'ailleurs, dit-elle. Jacob et moi ne pouvons continuer à vivre ici.

10.

Prenant appui sur ses coudes, Wade banda ses muscles pour réceptionner Jacob qui, s'élançant vers lui comme une fusée, atterrit brutalement sur son estomac.

Wade se laissa aller en arrière en riant, et leva une main pour réclamer une pause. Jacob l'imita aussitôt, comme il imitait chacun de ses gestes.

Quand il eut retrouvé son souffle, Wade se redressa et observa le petit garçon avec qui il jouait depuis plus d'une heure. Il avait offert de s'occuper de lui pendant que Geneva allait visiter des appartements. Il comprenait qu'elle souhaite rompre les liens maintenant, avant qu'ils soient trop proches les uns des autres, et, pourtant, il ne pouvait s'empêcher de regretter sa décision.

Il secoua la tête. Assez de pensées égoïstes, se dit-il. Son seul souci devait être de trouver la meilleure solution pour Geneva et Jacob.

— Encore ! réclama Jacob en sautant sur ses pieds.

— Non, cela suffit pour le moment, dit Wade, conscient que Geneva lui avait recommandé de ne pas trop exciter l'enfant avant sa sieste. Regarde !

Il cueillit un brin d'herbe, le porta à sa bouche et souffla. Surpris par le sifflement perçant, Jacob se boucha les oreilles. Mais seulement l'espace d'une seconde. L'instant d'après, Jacob arrachait une touffe d'herbe, racines comprises, et soufflait en vain dessus.

— Tiens, essaie comme cela, conseilla Wade en se penchant vers lui pour lui tendre son propre instrument.

Cette fois, Jacob en tira un son perçant. Un sourire éclaira son visage tandis qu'il s'éloignait en trottinant, le brin d'herbe à la main.

— Où vas-tu ? demanda Wade.

— Vais montrer à oncle Sean.

Wade eut l'impression d'avoir reçu un coup de poing dans le ventre. Il se leva et rattrapa l'enfant, le forçant à s'arrêter en s'agenouillant devant lui.

— Qui t'a dit de l'appeler ainsi ?

— Oncle Sean.

Sur cette brève réponse, Jacob détala et se rua vers l'objet de leur discussion, qui venait d'apparaître sous la véranda. Comme s'il comprenait qu'il ne pouvait se jeter dans ses jambes de la même manière qu'il le faisait avec Wade, Jacob ralentit et lui fit un câlin.

Sean le lui rendit avec affection.

— Regarde, oncle Sean ! s'écria Jacob en ouvrant la main pour exhiber son brin d'herbe.

Son compagnon témoigna l'enthousiasme espéré, après quoi Jacob l'entraîna dans le jardin afin de lui montrer une chenille qu'il avait trouvée un peu plus tôt.

Wade les suivit du regard, conscient que le départ de Geneva et de Jacob serait un moment difficile pour eux tous, Sean inclus. La mère et l'enfant étaient entrés dans leur vie à peine un mois auparavant, mais ils faisaient déjà partie de la famille...

Comme les deux compères s'éloignaient, les oisillons apparurent au bord du nid, chacun risquant la tête à l'extérieur dans l'espoir d'être nourri le premier. Le concert de pépiements alerta Jacob, qui tira sur le short de Sean.

— Fais-moi voir !

Sean jeta à l'enfant un regard troublé, et lui montra une de ses béquilles en guise d'explication. Wade intervint.

— Jacob, mon chou, tu ne peux pas demander à Sean d'abandonner ses épées magiques, dit-il en s'approchant pour le prendre dans ses bras. Un vilain troll pourrait les lui voler pendant qu'il ne regarde pas.

Jacob gloussa, mais parut ravi par l'explication. Wade se hâta de lui montrer le nid avant qu'il ne réclame sa propre paire d'épées magiques.

— Les bébés sont plus grands maintenant, avertit-il. Il ne faut pas faire de bruit, sinon ils risquent de s'envoler alors que leurs muscles ne sont pas encore assez forts.

— Quand les muscles d'oncle Sean seront plus forts…, fit Jacob en fléchissant son petit bras comme il l'avait vu faire dans une émission sportive, il va voler aussi.

Wade échangea un regard amusé avec son frère, puis désigna les oisillons affamés qui les fixaient de leurs yeux noirs.

— Les oiseaux ont des plumes qui les aident à voler, expliqua-t-il. Mais nous n'avons pas de plumes, et nous ne pouvons pas voler.

— Même pas oncle Sean ? demanda Jacob d'un ton déçu.

— Même pas oncle Sean.

Ce dernier éclata de rire. Oui, songea Wade avec un pincement au cœur, Jacob allait leur manquer.

Sean cessa de rire et s'approcha à son tour.

— Regarde celui-ci. Il n'est pas comme les autres.

Wade se pencha. En effet, un des oisillons, plus gros que ses congénères, possédait un plumage légèrement tacheté, qui faisait contraste avec la couleur unie de ses voisins.

Jacob donna son avis sur la question.

— C'est un vilain troll.

— Non, je crois que c'est un roitelet dans un nid de mésanges. Le nid a dû être utilisé par deux couples d'oiseaux avant que l'un d'eux en prenne possession.

— Un moineau adopté, en quelque sorte, commenta Sean.

Jacob les regarda, perplexe.

— Adopté, répéta Wade, avant de se rendre compte que l'enfant n'avait certainement jamais entendu le terme. Celui-ci n'est pas une mésange. Il a été laissé là par erreur.

La lèvre inférieure de Jacob se mit à trembler, et des larmes se formèrent dans ses yeux. Wade s'empressa de le rassurer.

— Mais son papa et sa maman l'aiment quand même, ajouta-t-il.

Le visage de l'enfant s'éclaira de nouveau. Bientôt, son attention se porta sur autre chose, et il se mit à gigoter, demandant à être remis par terre. Il s'éloigna avec Sean, sous le regard songeur de Wade.

Si les circonstances avaient été autres, il aurait aimé avoir un enfant tel que Jacob, se dit-il. La maison allait lui paraître si vide... Comment avait-il vécu avant l'arrivée de

Geneva et de son fils ? se demanda-t-il, soudain. Il avait travaillé, rassemblé des fonds pour l'hôpital, fréquenté diverses femmes tout en les gardant à distance, mais tout cela lui semblait si lointain. Depuis que Geneva était entrée dans sa vie, il se sentait mieux, comme s'il les avait attendus...

Avec une certitude subite, il sut qu'il ne pouvait les laisser partir. Le cœur serré, il regarda Jacob foncer sur son tricycle dans l'allée. Il aimait cet enfant autant que s'il avait été le sien. Il l'aimait autant que ces oiseaux aimaient leur bébé trouvé... plus encore, bien plus.

A la poursuite d'un papillon bleu, Jacob prit un virage brutal à droite, qui faillit faire basculer le tricycle. Wade se rua vers lui, les bras tendus pour amortir sa chute, mais Jacob se rétablit en posant le pied sur le sol, et reprit sa course sans s'émouvoir.

Les épaules de Wade s'affaissèrent, et il s'assit sur le banc où Geneva et lui s'étaient embrassés. Sean avait raison. Il était trop protecteur. Non seulement il avait sous-estimé les capacités de son frère, mais il avait sous-estimé l'amour dont Geneva était capable. Il s'était persuadé qu'elle souffrirait d'élever des enfants qui ne soient pas les siens.

Comment avait-il pu être aussi aveugle, aussi injuste envers elle ? Geneva était une femme généreuse, aimante. Tout comme l'oiseau, Geneva accepterait à bras ouverts un enfant adopté et l'aimerait comme le sien.

— Je suis un imbécile, marmonna-t-il en se tapant sur le front.

Sean lui adressa un large sourire.

— Je sais, mais je t'aime quand même, va !

142

Il salua Wade et Jacob de sa béquille, et se tourna vers son caddie.

— Il faut que je retourne travailler. A plus tard, Geneva.

Wade tressaillit à la mention de son nom. Absorbé dans ses pensées, il ne l'avait pas entendue s'approcher.

Poussant un cri ravi, Jacob se jeta dans ses bras, tandis que Wade réprimait l'envie de l'imiter.

Quelques secondes plus tard, l'enfant retourna jouer dans le bac à sable. Geneva regarda Wade, tenant d'une main nerveuse les documents qui mettraient fin aux récents événements dans sa vie. La fin de ses espoirs et de ses rêves. La fin de l'amour qui avait grandi entre Wade et elle.

Non, songea-t-elle. Rien ne pourrait éteindre l'amour qu'elle éprouvait pour Wade. Mais peut-être qu'au fil du temps elle parviendrait à surmonter la douleur et aller de l'avant… pour le bien de Jacob, sinon le sien.

Wade se leva et s'approcha d'elle, s'arrêtant à quelques centimètres à peine. Son regard fouilla le sien, intense. Si elle en avait eu la force, Geneva aurait reculé pour briser l'effet d'attraction qui semblait les souder l'un à l'autre. Mais elle ne bougea pas, préférant savourer l'instant, le graver à jamais dans sa mémoire.

— As-tu trouvé un logement ?

Elle acquiesça, désignant le document qu'elle tenait.

— Je n'ai plus qu'à signer le bail. Nous pourrons emménager ce week-end.

— Si vite !

Le visage de Wade s'assombrit. Sans doute s'inquiétait-il pour Sean, songea-t-elle.

— Ton frère se débrouillera très bien, affirma-t-elle. Je me suis renseignée, et il existe un service pour les personnes handicapées à Kinnon Falls. L'agence offre des formations, des séances de kinésithérapie et permet de rencontrer d'autres personnes qui affrontent des problèmes similaires.

Wade hocha la tête sans répondre.

— En bien, je vais commencer à faire nos bagages, fit Geneva, hésitant malgré tout à détourner son regard du sien.

— Avant que tu commences, je voudrais que tu m'aides à faire quelque chose, intervint Wade.

Son expression s'était radoucie, et il avait parlé d'un ton grave. Elle ne pouvait refuser.

— Il faut que je creuse un trou.

Jacob l'entendit et se précipita vers eux, une pelle en plastique à la main.

— Je vais t'aider !

— Bien sûr, répondit Wade en le prenant dans ses bras. Parce que c'est en partie pour toi que j'ai besoin de le faire.

Wade déposa l'enfant tout excité dans un coin du jardin et se retourna vers Geneva.

Tendant la main vers le revers de sa chemise, il retira l'épingle de « Célibataire de l'Année » qui lui rappelait constamment son vœu de ne pas s'engager, et la lui remit.

— Je ne veux plus de cette vie-là, dit-il doucement.

144

Elle contempla l'épingle en or au creux de sa paume et le regarda avec hésitation, une lueur d'espoir au fond des yeux.

— Mais... ta liberté ?

Il recouvrit sa main de la sienne.

— Ma liberté ne vaut pas un tel prix, répondit-il en lui pressant les doigts.

Geneva retint son souffle, se demandant si elle avait bien compris ce qu'il lui disait ou si elle tirait des conclusions hâtives de son geste. Se leurrait-elle avec de faux espoirs, une fois de plus ?

Elle attendit patiemment la suite, n'osant croire que la décision de Wade avait été prise à cause d'elle.

Il lui ouvrit les doigts et reprit l'épingle.

— Pendant que j'y suis, que dirais-tu d'enterrer ce bail en même temps ? demanda-t-il, désignant les papiers froissés qu'elle avait encore à la main.

Geneva détourna les yeux une seconde et contempla le document qui représentait sa vie loin de l'homme qu'elle aimait... de l'homme qui l'aimait assez pour lui sacrifier sa liberté.

Il attendait qu'elle lui donne le bail, qu'elle se donne symboliquement à lui en choisissant de rester. Elle hésita, voulant être sûre de ne pas commettre une erreur.

— Mais... et le syndrome de Joubert ?

Mieux valait voir la réalité en face, se dit-elle. Le problème ne disparaîtrait pas comme par miracle. S'il désirait qu'ils n'aient pas d'autre enfant, elle accepterait son choix. Elle serait heureuse, quoi qu'il en soit...

— Je ne saurai pas avec certitude si je suis ou non porteur du gène avant que les recherches aboutissent, répondit-il, interrompant ses pensées. Cela pourrait prendre des mois, ou des années.

Il mit l'épingle dans sa poche et lui caressa timidement la joue. Elle tourna la tête, effleurant de ses lèvres les doigts de Wade.

— Veux-tu m'épouser, Geneva ? Si tu es prête à attendre avant d'avoir un enfant de moi, je serais honoré que tu m'acceptes comme mari.

Il souleva sa main et glissa une bague imaginaire à son doigt.

— Entre-temps, nous adopterons autant d'enfants que tu le voudras. La maison est assez grande !

Sous le choc, Geneva tenta de maîtriser la vague d'émotion qui la submergeait, osant à peine croire que ses espoirs les plus fous se réalisaient.

— Tu es sûr ? balbutia-t-elle.

— J'avais tort. C'est mon obstination qui nous séparait, Geneva...

Il s'éclaircit la voix et reprit :

— Si tu me pardonnes d'avoir été aussi idiot, dis-moi que tu acceptes de m'épouser.

Jacob les rejoignit, fier de lui.

— J'ai fait un grand trou !

Wade sourit à Geneva, et ils suivirent l'enfant jusqu'au « cratère » profond de deux centimètres qu'il avait creusé. Ils le complimentèrent sur son travail, et Wade lança un regard interrogateur à Geneva. Elle ne lui avait pas donné de réponse, et il attendait toujours.

Sans rien dire, elle froissa le document jusqu'à ce qu'il forme une petite boule de la taille d'une balle de golf, et le lui tendit en souriant, débordant de bonheur à la pensée qu'elle allait passer le reste de sa vie avec cet homme merveilleux.

Le visage de Wade s'illumina.

— C'est un trou magnifique, dit-il à son futur fils, mais il va falloir le faire un peu plus profond.

Il se tourna vers Geneva, l'enveloppant de son regard intense.

— Ces choses-là devront y rester pour toujours... c'est-à-dire presque aussi longtemps que durera mon amour pour vous deux.

Épilogue

Geneva promena un regard heureux sur le tapis blanc déroulé entre deux rangs de chaises dans le jardin. Dans un instant, au bras de Wade, elle se dirigerait de l'arbre récemment planté à l'endroit où ils avaient enfoui l'épingle et le bail, jusqu'au bord du lac, où le pasteur les attendait.

Mais d'abord, elle devait persuader sa mère de se détendre et de s'asseoir.

— Maman, c'est presque l'heure.

— Oui, et rien ne va, marmonna cette dernière en refermant son sac à main d'un coup sec comme pour renforcer ses paroles. Ce mariage est si peu traditionnel !

Geneva lui tapota le bras.

— Papa n'est pas là pour m'emmener à l'autel. Il est naturel que j'y aille au bras de Wade.

Sa mère ne répondit pas, mais fit mine de brosser des peluches invisibles sur la robe blanche de Geneva. Celle-ci baissa les yeux sur sa tenue et sourit. Elle avait appliqué le conseil de Wade pour la robe de sa cliente et brodé un motif blanc sur les coutures. Ç'avait été un succès tel qu'elle avait décidé de faire de même pour sa propre robe de mariée.

— As-tu dit à Sean de ne pas donner d'autres bonbons à Jacob ?

— Oui, maman. D'ailleurs, tante Helen le surveille !

— Où est ton bouquet ?

— Ne t'inquiète pas, fit Geneva. Je...

Trop tard. Sa mère avait déjà disparu. Geneva poussa un soupir. Tout le monde était prêt. Les demoiselles d'honneur s'étaient rassemblées sous la véranda, et Sean, leur témoin, bavardait avec le pasteur au bord de l'eau.

Geneva tressaillit en sentant une main se poser sur sa taille et sourit à la vue de son séduisant futur mari.

— Dépêchons-nous avant que tu aies changé d'avis, souffla-t-il en l'enveloppant d'un regard plein d'adoration.

— Aucun risque, gloussa-t-elle. Mais ce serait bien d'en avoir terminé avant la sieste de Jacob.

Il lui adressa un clin d'œil.

— D'autant que moi aussi, j'aimerais bien faire une sieste... avec toi.

Une douce chaleur envahit Geneva à sa suggestion. Elle mourait d'envie de se retrouver dans ses bras, de commencer enfin leur vie de couple marié.

Sa mère réapparut, tenant le bouquet de mariée d'une main, et Jacob de l'autre. Geneva ne put s'empêcher d'admirer le petit garçon, tout élégant dans le costume qu'elle lui avait confectionné.

Geneva prit le bouquet et embrassa sa mère, qui, à son tour embrassa le futur marié et son petit-fils. Puis elle se hâta de regagner sa place, juste au moment où le pianiste jouait les premières notes de la marche nuptiale.

Wade glissa la main sous le bras de Geneva et ils avancèrent entre les deux rangées de chaises, précédés de Jacob qui portait fièrement les alliances.

Comme ils approchaient de l'autel improvisé au bord du lac, Tim, un des moniteurs de golf, souleva son club, imité par Sean avec sa béquille, afin de former une haie d'honneur. Avec un sourire, Wade se pencha et entraîna Geneva sous l'arche tandis que les flashes des appareils photo crépitaient autour d'eux.

Cette fois, Geneva sourit à la vue des photographes, heureuse de montrer au monde entier, ou, tout au moins, à Kinnon Falls, qu'elle n'était pas qu'une conquête de plus pour Wade.

— Maman avait raison, ce n'est pas un mariage traditionnel, lui murmura-t-elle à l'oreille alors qu'ils s'approchaient du pasteur.

Wade porta sa main à ses lèvres et y déposa un tendre baiser.

— Non, mais nous ne le sommes pas non plus, répondit-il en la regardant avec émotion.

Elle pensa aux hommes qui, un temps, lui avaient semblé être des candidats parfaits au mariage. Un pasteur, un médecin, un cadre supérieur… tous traditionnels, et tous si différents de Wade !

Elle sourit à son futur mari, l'homme qu'elle aimait de tout son cœur et de toute son âme, et qui l'aimait autant en retour. Il ferait un papa fantastique.

— Je suis heureuse, murmura-t-elle. Très heureuse.

Après quoi, rompant une fois de plus avec la tradition, ils s'embrassèrent avant de prononcer leurs vœux.

Le nouveau visage
de la collection Or

◆

AMOURS D'AUJOURD'HUI

Afin de mieux exprimer sa modernité et de vous séduire encore davantage, votre collection Or a changé de couverture et de nom depuis le 1er mars 1995.

Rassurez-vous, les romans, eux, ne changent pas, et vous pourrez retrouver dans la collection **Amours d'Aujourd'hui** tous vos auteurs préférés.

Comme chaque mois, en effet, vous y attendent des héros d'aujourd'hui, aux prises avec des passions fortes et des situations difficiles...

COLLECTION
AMOURS D'AUJOURD'HUI :
Quand l'amour guérit des blessures de la vie...

Chère lectrice,

Vous nous êtes fidèle depuis longtemps?
Vous venez de faire notre connaissance?

C'est pour votre plaisir que nous avons
imaginé un rendez-vous chaque mois
avec vos auteurs préférés, vos
AUTEURS VEDETTE dans les
collections Azur et Horizon.

Les AUTEURS VEDETTE vous
donneront rendez-vous pour de
nouveaux livres vedette.

Pour les reconnaître, cherchez
l'étoile... Elle vous guidera!

Éditions Harlequin

AUT-R-R

HARLEQUIN

LE FORUM DES LECTEURS ET LECTRICES

CHERS(ES) LECTEURS ET LECTRICES,

VOUS NOUS ETES FIDÈLES DEPUIS LONGTEMPS?

VOUS VENEZ DE FAIRE NOTRE CONNAISSANCE?

SI VOUS AVEZ DES COMMENTAIRES, DES CRITIQUES À
FORMULER, DES SUGGESTIONS À OFFRIR, N'HÉSITEZ
PAS... ÉCRIVEZ-NOUS À:
    LES ENTERPRISES HARLEQUIN LTÉE.
    498 RUE ODILE
    FABREVILLE, LAVAL, QUÉBEC.
    H7R 5X1

C'EST AVEC VOS PRÉCIEUX COMMENTAIRES QUE NOUS
ALLONS POUVOIR MIEUX VOUS SERVIR.

DE PLUS, SI VOUS DÉSIREZ RECEVOIR UNE OU
PLUSIEURS DE VOS SÉRIES HARLEQUIN PRÉFÉRÉE(S)
À VOTRE DOMICILE, NE TARDEZ PAS À CONTACTER LE
SERVICE D'ABONNEMENT; EN APPELANT AU
(514) 875-4444 (RÉGION DE MONTRÉAL) OU 1-800-667-4444
(EXTÉRIEUR DE MONTRÉAL) OU TÉLÉCOPIEUR
(514) 523-4444 OU COURRIER ELECTRONIQUE:
AQCOURRIER@ABONNEMENT.QC.CA OU EN ÉCRIVANT À:
    ABONNEMENT QUÉBEC
    525 RUE LOUIS-PASTEUR
    BOUCHERVILLE, QUÉBEC
    J4B 8E7

MERCI, À L'AVANCE, DE VOTRE COOPÉRATION.

BONNE LECTURE.

HARLEQUIN.

VOTRE PASSEPORT POUR LE MONDE DE L'AMOUR.

HARLEQUIN

COLLECTION
ROUGE PASSION

- Des héroïnes émancipées.
- Des héros qui savent aimer.
- Des situations modernes et réalistes.
- Des histoires d'amour sensuelles et
provocantes.

LAISSEZ-VOUS TENTER
par 3 titres irrésistibles
chaque mois.

RP-1-R

69 **L'ASTROLOGIE EN DIRECT**
TOUT AU LONG
DE L'ANNÉE.

(France métropolitaine uniquement)
Par téléphone 08.92.68.41.01
0,34 € la minute (Serveur SCESI).

Composé et édité par les
*éditions*Harlequin
Achevé d'imprimer en avril 2005

BUSSIÈRE
GROUPE CPI

à Saint-Amand-Montrond (Cher)
Dépôt légal : mai 2005
N° d'imprimeur : 50874 — N° d'éditeur : 11295

Imprimé en France

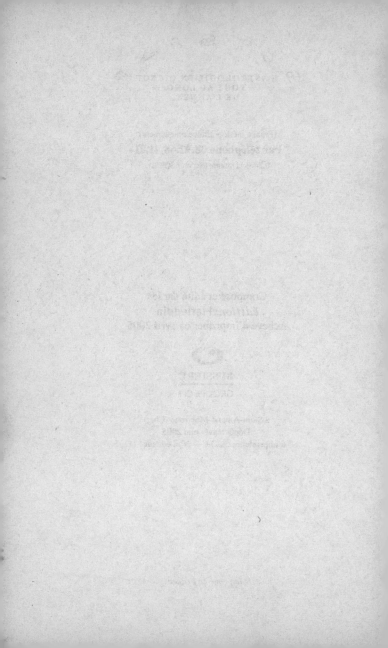